Choroby pęcherza i nerek

Agencja Wydawnicza Jerzy Mostowski poleca

- Gerhard Leibold ***Przeziębienie i grypa***
- Paul Mohr ***Choroby nowotworowe***
- Gerhard Leibold ***Niskie ciśnienie***
- Gerhard Leibold ***Wrażliwość na zmiany pogody***

GERHARD LEIBOLD

Choroby pęcherza i nerek

Przekład: Sławomir Patlewicz

Projekt okładki
Wojciech Makowski, HAPPY Studio DTP

Rysunki na okładce
Julia Burkacka

Skład
HAPPY Studio DTP

Koordynacja wydania polskiego
Dorota Śrutowska

Redakcja:
Alicja Barbara Kaszyńska

Tytuł oryginału
Blasen- und Nierenleiden

Edycja 2005 Agencja Wydawnicza Jerzy Mostowski
Janki k. Warszawy
ul. Wspólna 17A, 05-090 Raszyn
tel.: (0-22) 720 35 99, fax: (0-22) 720 34 90
e-mail: awm@morex.com.pl
www. morex.com.pl

ISBN 83-7250-201-3

Druk i oprawa
Opolgraf SA, Opole

Na okładce mącznica lekarska – najważniejsza roślina stosowana w ziołolecznictwie przy zapaleniu pęcherza.

Spis treści

Przedmowa

Powszechnie wiadomo, jak wielkie znaczenie mają nerki i drogi moczowe w gospodarce wodnej i odtruwaniu organizmu. Mimo to, jak wskazuje doświadczenie, wiele niepokojących objawów niesprawności układu wydalniczego zbywanych jest wzruszeniem ramion i bagatelizowanych. Powodem bywa nierzadko fałszywy wstyd i obawa przed „krępującymi" badaniami, powstrzymujące wielu pacjentów przed wczesną wizytą u terapeuty.

Takie zachowanie oczywiście nie musi powodować poważnych następstw. Sprawny układ odpornościowy na ogół własnymi siłami potrafi uporać się z chorobą pęcherza czy nerek, bez pozostawiania trwałych uszkodzeń. Nie wolno jednak zrzucać wszystkiego na siły obronne organizmu. Jest sporo przypadków, zaczynających się pozornie błahym zaziębieniem pęcherza, a kończących regularnym dializowaniem pacjenta przez resztę życia, jeśli nie znajdzie się dawca nerki.

Nie wolno więc lekceważyć nawet pozornie drobnego zapalenia pęcherza, lecz należy jak najszybciej udać się do specjalisty. Tylko on potrafi postawić właściwą diagnozę i orzec, jaka terapia jest niezbędna.

Książki tej nie należy uważać za instrukcję samoobsługowego leczenia układu moczowego, mimo że zawiera wiele zaleceń terapeutycznych z zakresu medycyny naturalnej, sprawdzonych w praktyce i w większości nadających się do samodzielnego stosowania. Zawsze najpierw trzeba zwrócić się do lekarza, gdyż nawet w oczywistym przypadku lekkiego zapalenia błony śluzowej pęcherza, laik nie zdoła bezbłędnie przewidzieć ewentualnych poważnych komplikacji. Nic jednak nie stoi na przeszkodzie, by metodami medycyny naturalnej uzupełniać leczenie prowadzone pod kierunkiem specjalisty, ponieważ naturalne sposoby przywracania zdrowia często wydatnie wspomagają konwencjonalną sztukę lekarską.

Niniejszy poradnik ma przede wszystkim szeroko informować o różnorodnych możliwościach leczenia układu moczowego z zastosowaniem nowoczesnej medycyny naturalnej oraz sprawić, by choroby tego układu nie były zaniedbywane z powodu lekkomyślności, niewiedzy czy fałszywego wstydu. Im szybciej bowiem rozpocznie się właściwą terapię, tym większe są szanse ustrzeżenia się przed schorzeniami chronicznymi.

Układ wydalniczy – budowa i funkcje w organizmie

W organizmie stale przebiegają liczne procesy biochemiczne, konieczne do podtrzymania funkcji życiowych, pozyskania energii i jej użycia. Powstaje przy tym wiele produktów rozpadu, które nie mogą zostać zużytkowane, a nawet są po części trujące, więc muszą być ciągle usuwane.

Powstawanie produktów przemiany materii

Uczestniczą w tym różne organy. Na przykład wątroba poprzez skomplikowane przemiany chemiczne przekształca wiele substancji trujących w nieszkodliwe. Gazowe produkty katabolizmu wydychane są przez płuca. Jelita wydalają część balastu chemicznego wraz z kałem. Także skóra uczestniczy w ciągłym odtruwaniu organizmu, wydzielając pot.

Udział różnych organów w usuwaniu produktów rozpadu

Przez układ wydalniczy w węższym znaczeniu rozumie się nerki i wychodzące z nich drogi moczowe. System ten odpowiada za wytwarzanie i wydalanie moczu. Są to ważne zadania i żaden inny narząd nie może ich przejąć. Ustanie pracy nerek i wydalania szybko prowadzi do śmiertelnego zatrucia organizmu, gdyż nie odbywa się wówczas oczyszczanie krwi czyli dializa.

Nerki i drogi moczowe – odpowiedzialne za wytworzenie i wydalenie moczu

Anatomia organów wydalniczych

Układ wydalniczy, z racji bliskiego sąsiedztwa z organami rozrodczymi traktowany jako część układu moczopłciowego (urogenitalnego), składa się z dwóch nerek oraz odchodzących od nich dwóch moczowodów

Układ moczopłciowy

Jedność funkcjonalna organów

prowadzących do pęcherza moczowego i dalej do cewki moczowej, przez którą mocz z pęcherza wypływa na zewnątrz. Organy te stanowią jednostkę funkcjonalną, mogą więc swoje czynności wykonywać tylko wspólnie. Zakłócenia w pracy choćby jednego z nich często powodują poważną dysfunkcję innych i nawet początkowo niegroźne choroby mogą prowadzić w skrajnym przypadku do komplikacji niebezpiecznych dla życia.

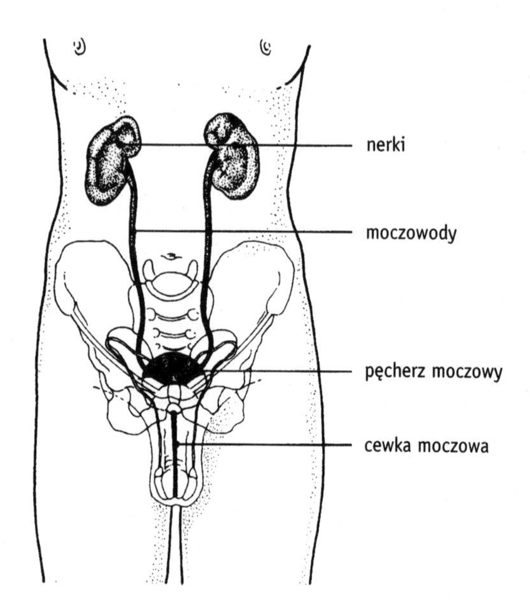

Układ wydalniczy (schemat)

Nerki i miedniczki nerkowe

Wytwarzanie moczu w nerkach

Lokalizacja nerek

W nerkach wytwarzany jest mocz (uryna), w procesie, który dokładnie przedstawimy później. Nerki są narządem parzystym, znajdują się z tyłu, za jamą brzuszną, po obu stronach kręgosłupa, mniej więcej na wysokości ostatniego kręgu grzbietowego i pierwszego kręgu lędźwiowego, a więc nieco ponad talią. Prawa nerka graniczy od góry z wątrobą, organem, którego duże rozmiary powodują, że jest ona z reguły trochę mniejsza i leży nieco niżej niż lewa, zlokalizowana pod śledzioną.

Rozmiary nerek

Obie nerki mają kształt ziaren fasoli o długości ok. 10–12 cm, w przekroju ok. 5 cm. Ważą 120–200 g, średnio ok. 150 g. Otacza je osłonka tłuszczowa i mocna torebka z tkanki łącznej, co zapewnia im ochronę i stabilność.

Nadnercza

Na obu nerkach tkwią płaty *nadnerczy.* Te dwa organy nie mają nic wspólnego z wydalaniem, należą do układu wydzielania wewnętrznego i produkują ok. 30 ważnych hormonów, przede wszystkim kortykosterydy (np. kortyzon).

Nerki jako wytwórnia hormonów

Same nerki także wytwarzają hormony, biorące udział w regulacji ciśnienia krwi i tworzeniu erytrocytów.

Hilus nerki

Od strony osi tułowia (kręgosłupa) w każdej nerce znajduje się wgłębienie, tzw. *hilus*. Tam wchodzą i stamtąd wychodzą naczynia krwionośne i nerwy, stamtąd odchodzi też moczowód. Obszar, który znajduje się zaraz po wejściu do nerki od strony przewodu moczowego, nazywa się *miedniczką nerkową.*

Miedniczka nerkowa

Ciałka nerkowe Malpighiego

Na przekroju nerki dostrzega się zewnętrzną korę i wewnętrzny rdzeń. W korze znajduje się ok. 1 mln *ciałek nerkowych* (kłębuszków nerkowych), zawierających kłębki naczyń włosowatych. Zadaniem ciałek nerkowych jest odfiltrowanie z krwi substancji przeznaczonych do wydalenia, które winny znaleźć się w moczu. Ponadto w korze znajdują się kręte odcinki cewek (kanalików) nerkowych, otoczone przez naczynia włosowate. Naczynia te wchłaniają większą część pierwotnego moczu zawierającego użyteczne substancje odżywcze i witaminy.

Rdzeń nerki

Rdzeń nerki ukształtowany jest w 7–9 piramid. Ich zaokrąglone wierzchołki w kształcie brodawek sięgają do kielichów nerkowych. W rdzeniu znajdują się proste odcinki cewek nerkowych. Tam odbywa się zbieranie moczu przeznaczonego do wydalenia, który przekazywany jest dalej do kielichów. Kielichy łączą się z kolei w miedniczkę nerkową, od której odchodzi moczowód wiodący do pęcherza.

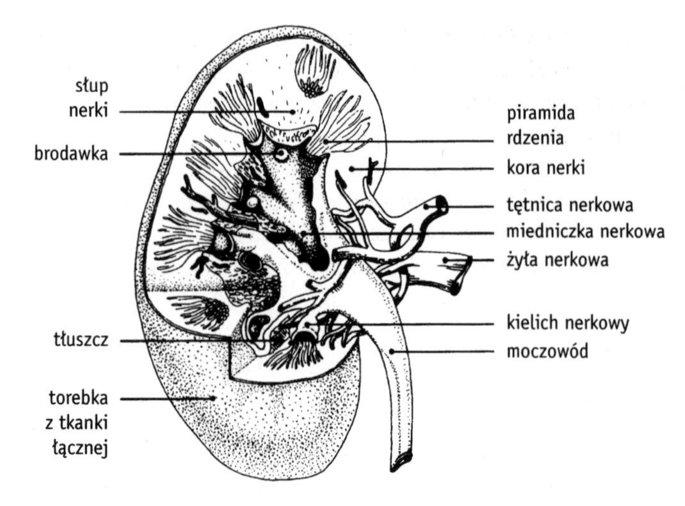

Budowa nerki

Drogi moczowe

Funkcja dróg moczowych

Tym mianem określa się jednostkę funkcjonalną złożoną z moczowodów, pęcherza moczowego i cewki moczowej. Jej zadaniem jest przyjmowanie moczu z nerek, gromadzenie w pęcherzu i – po jego napełnieniu – usuwanie na zewnątrz.

Moczowody

Miedniczka nerkowa każdej nerki zwęża się, przechodząc w moczowód, tworzący połączenie z pęcherzem moczowym. Moczowód ma gładką, mięśniową ścianę pokrytą od wewnątrz śluzówką. Jego długość wynosi ok. 25–30 cm, a średnica 4–7 mm.

Długość moczowodu 25–30 cm

Ujścia obu przewodów do pęcherza znajdują się z tyłu, w jego dnie. Ukształtowane są na podobieństwo zaworów, co w razie wypełnienia pęcherza zapobiega cofaniu się moczu w moczowodach do góry, ku miedniczkom nerkowym. Mocz nie ścieka po prostu w dół, z miedniczki przez moczowód pod własnym ciężarem, lecz raczej wtłaczany jest aktywnie do pęcherza dzięki skurczom mięśni moczowodu.

Mocz wtłaczany do pęcherza

Moczowód ma w swym przebiegu trzy naturalne zwężenia. Szczególnie często zatrzymują się w nich kamienie nerkowe opuszczające miedniczkę. Kurczące się mięśnie moczowodu natrafiają wtedy na opór, co powoduje gwałtowny ból (kolkę).

Trzy zwężenia w moczowodzie

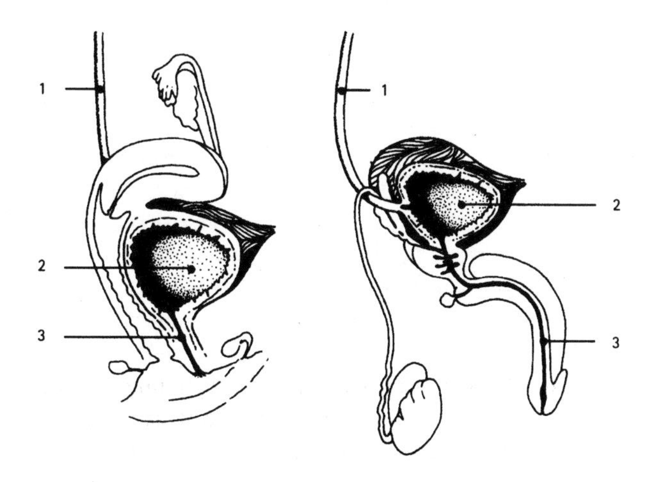

1 = moczowód 2 = pęcherz moczowy 3 = cewka moczowa

Pęcherz moczowy z ujściem moczowodu i cewką moczową

Pęcherz moczowy

Jest to umięśniony narząd jamnisty (worek), znajdujący się w miednicy małej. Jego ściana, wyposażona w mięśnie gładkie, niepodlegające woli, pokryta jest od wewnątrz śluzówką. Grubość ściany zależy od wypełnienia pęcherza: im więcej moczu, tym bardziej pęcherz się rozszerza i ściana staje się cieńsza. Gdy mięśnie poddawane są ciągłemu

Pęcherz moczowy to umięśniony narząd jamnisty

Pęcherz moczowy beleczkowaty

przeciążeniu w wyniku trwałego utrudnienia w oddawaniu moczu, stopniowo wzrasta ich grubość, a uwarunkowane strukturą tkanki zgrubienia i wypukłości wystają wewnątrz pęcherza na kształt belek *(pęcherz beleczkowaty)*.

Trigonum vesicae

W dnie organu z tyłu znajdują się ujścia obu moczowodów, zaś z przodu jest odpływ do cewki moczowej. Gdy połączyć linią te trzy otwory, powstanie trójkąt (*trigonum vesicae*), w którym śluzówka nie jest pofałdowana jak na pozostałej wewnętrznej powierzchni pęcherza, lecz mocno złączona z tkanką mięśniową.

Po stronie przeciwległej do dna pęcherza znajduje się jego szczyt o kształcie zbliżonym do stożka. Przy maksymalnym wypełnieniu pęcherz sięga niemal do wysokości pępka.

Funkcja pęcherza

Zadaniem tego narządu jest gromadzenie moczu stale doprowadzanego z nerek przez moczowody, a następnie usuwanie go na zewnątrz przez cewkę moczową, gdy osiągnięty zostanie stan odpowiedniego napełnienia. Na ogół przyjmuje się, że stanem odpowiedniego napełnienia pęcherza jest ok. 0,4 l uryny. Wówczas specjalne czujniki (receptory) rejestrują podrażnienie, wywołane rozciągnięciem ściany pęcherza. Odczuwane jest to jako parcie na mocz i skłania do opróżnienia pęcherza. Gdy oddanie moczu jest chwilowo niemożliwe, mięsisty worek rozszerza się jeszcze bardziej i potrafi zmieścić łącznie ponad 1 litr uryny.

Cewka moczowa

Rozszerzanie się średnicy cewki moczowej do 8 mm

Ostatni odcinek dróg moczowych stanowi wyścielona śluzówką cewka moczowa, która w trakcie oddawania moczu może zwiększyć średnicę do 8 mm. Zaczyna się w dnie pęcherza, z przodu. Jeden zwieracz wewnętrzny i jeden zewnętrzny kontrolują przepływ moczu z pęcherza do cewki.

Cewka moczowa mężczyzny

U mężczyzny cewka moczowa osiąga długość 20–25 cm i ma ujście na końcu penisa. Przechodzi przez prostatę i odtąd służy też za kanał dla spermy, wytryskiwanej w akcie seksualnym. Tak długa cewka dobrze chroni pęcherz przed infekcjami, dlatego zapalenie pęcherza u mężczyzn zdarza się rzadziej niż u kobiet.

Cewka moczowa kobiety

Cewka moczowa kobiety ma długość zaledwie 2,5–4 cm. Uchodzi do przedsionka pochwy powyżej wejścia do pochwy. Przez tak krótką cewkę czynniki chorobotwórcze mogą łatwiej dostać się do pęcherza, więc jego zapalenie występuje u kobiet znacznie częściej.

Funkcjonowanie układu wydalniczego

Zadanie organów wydalniczych

Zadaniem organów wydalniczych jest wytworzenie uryny w nerkach i wydalenie jej drogami moczowymi.

Rola w odtruwaniu organizmu

Jak widać, układ wydalniczy odgrywa decydującą rolę w odtruwaniu organizmu i usuwaniu zeń rozpuszczalnych w wodzie końcowych produktów przemiany materii oraz innych nieużytecznych substancji. Ma także wielki wpływ na gospodarkę wodną, na skład krwi i innych płynów ustrojowych. Są to ważne funkcje życiowe, których nie mogą przejąć żadne inne organy.

Nie możemy w tym rozdziale zatrzymać się dłużej nad dodatkowymi zadaniami nerek: produkcją hormonów, regulacją ciśnienia krwi, udziałem w wytwarzaniu erytrocytów. Zajmiemy się tym później.

Jak powstaje mocz

Szczególnie dobre ukrwienie nerek

Za wytworzenie moczu odpowiadają wyłącznie nerki. By mogły stale pobierać z krwi substancje przeznaczone do wydalenia, muszą być nadzwyczaj dobrze ukrwione. Krew przepływa przez nie z szybkością ok. 1 l na minutę, co daje w przybliżeniu 1440 l w ciągu doby. Już nieznaczne zakłócenia w dopływie krwi, będące skutkiem na przykład zwapnienia tętnic czy osłabienia serca, obniżają wydajność tego parzystego narządu, a w przypadku

Groźba niewydolności nerek przy zakłóceniach przepływu krwi

silnych zaburzeń mogą spowodować niebezpieczną dla życia niewydolność nerek.

Filtracja substancji przeznaczonych do wydalenia z moczem

Wytwarzanie moczu to nieskomplikowany proces

Wytwarzanie moczu w nerkach to proces względnie prosty. Krew, dopływająca do nerek dużymi tętnicami, rozdzielana jest między coraz cieńsze naczynia i w końcu dociera do kłębuszków nerkowych. Tam przepływa przez kłębek naczyń włosowatych, których ściany niczym filtr przepuszczają określone substancje. Ponieważ istnieje różnica ciśnień między kłębkiem a zamkniętą przestrzenią torebki kłębuszka, woda i małocząsteczkowe substancje (głównie te stanowiące balast biochemiczny, ale również sole i cukry) przenikają przez ściany naczyń i gromadzą się w torebce kłębuszka. Wielkocząsteczkowe białka i krwinki przeniknąć nie mogą, więc pozostają we krwi.

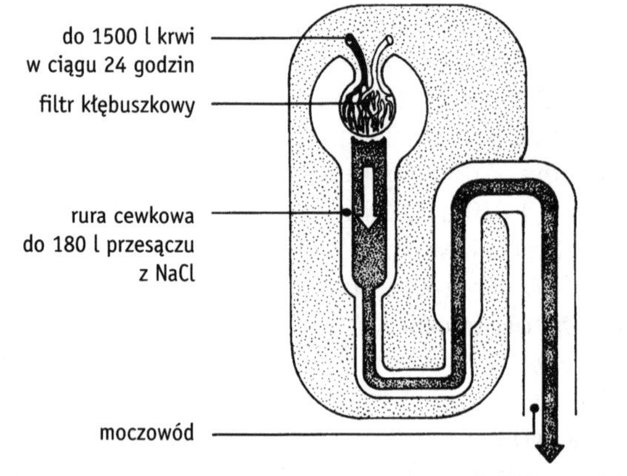

Filtracja moczu

Przechodząca do przestrzeni torebkowej mieszanina wody, substancji stanowiących balast, soli oraz cukrów nazywana jest *moczem pierwotnym*. Obie nerki wytwarzają ok. 120 ml moczu pierwotnego w ciągu 1 minuty, czyli mniej więcej 173 l dziennie.

Mocz pierwotny

Z torebki mocz pierwotny przechodzi do cienkich cewek nerkowych, w których jest gromadzony. Cewki otoczone są drobnymi naczyniami włosowatymi. Dla pewnych substancji ściany cewek są przepuszczalne. Ponieważ znaczna część składników moczu pierwotnego nie jest przeznaczona do wydalenia i nadaje się do ponownego wykorzystania, 99% moczu pierwotnego z cewek przenika z powrotem do naczyń krwionośnych. Organizm odzyskuje w ten sposób głównie wodę, cukry, sole, aminokwasy i witaminy.

Gromadzenie się moczu pierwotnego w cewkach nerkowych

Pozostaje *mocz ostateczny*, który przez cewkę zbiorczą podąża do miedniczki nerkowej, a stamtąd do moczowodu. W rezultacie wytwarza się każdego dnia zaledwie ok. 1–2 l moczu, wydalanego porcjami w ciągu doby.

Mocz ostateczny

1–2 l moczu dziennie

Skład moczu

Skład moczu zmienia się. Zależy głównie od dostarczanych organizmowi płynów i pożywienia, a także od wagi ciała, wieku i płci. Mocz człowieka zdrowego jest przezroczysty, żółty (jaśniejszy lub ciemniejszy), nie ma nieprzyjemnego zapachu. Jego ciężar właściwy zawiera się między 1,010 a 1,030 g/ml, wartość pH między 4,8 a 7,5 (jest raczej kwaśny). Zasadniczy składnik stanowi woda, w której rozpuszczone są różne substancje organiczne i nieorganiczne.

Wahania w składzie moczu

Zbyteczny jest w tym miejscu wykład o wszystkich komponentach uryny. Są one istotne tylko dla terapeuty stawiającego diagnozę. Do najważniejszych substancji wydalanych z moczem, a powstających w procesach przemiany materii i stale usuwanych przez nerki, należą:

Substancje przeznaczone do wydalenia z moczem

- *kwas moczowy,* produkt końcowy metabolizmu puryny; człowiek normalnie wydala z moczem 0,25–0,75 g kwasu moczowego dziennie; zwiększone wydalanie wskazuje często na dnę (skazę dnawą),

Kwas moczowy

Mocznik

- *mocznik*, powstający w wątrobie jako produkt końcowy metabolizmu białek; dzienne wydalanie z moczem wynosi 18–35 g; gdy mocz dłuższy czas poddany jest działaniu powietrza, mocznik rozkłada się stopniowo na amoniak i kwas węglowy, czego dowodzi typowy, przenikliwy i ostry zapach,

Kreatyna

- *kreatyna*, produkt pośredniej przemiany materii w mięśniach; zazwyczaj jest wydalana w postaci kreatyniny.

Pozostałymi składnikami moczu są różne sole nieorganiczne, m.in. żelaza, potasu, wapnia, miedzi, magnezu, sodu, fosforu, siarki i cynku, ponadto substancje organiczne jak aminokwasy, kwasy tłuszczowe, barwniki i kwasy żółciowe, kwas mlekowy i szczawiowy, białka i cukier.

Zmiany w moczu wywołane chorobami

Skład uryny ulega charakterystycznym zmianom w wyniku różnych chorób (takich jak dna lub cukrzyca), dlatego analiza moczu, dziś ułatwiona przez stosowanie pasków testowych zawierających odczynniki chemiczne, nie tylko dostarcza informacji o schorzeniach pęcherza i nerek, ale także służy diagnozowaniu chorób spoza układu wydalania.

Wydalanie moczu

Za wyprowadzenie uryny z organizmu odpowiedzialne są drogi moczowe. Ich początkiem są cewki zbiorcze nerek, przyjmujące mocz ostateczny i przekazujące go do miedniczek nerkowych.

Pęcherz moczowy to zbiornik na mocz

Stamtąd mocz dostaje się do moczowodu. W wyniku skurczów mięśni tego organu przemieszcza się dalej do pęcherza moczowego. Pęcherz to zbiornik, który zwalnia nas z konieczności oddawania już najdrobniejszych ilości moczu. Dopiero gdy znajdzie się w nim ok. 0,4 l uryny, ściana pęcherza rozciąga się i receptory rejestrują podrażnienie. Odczuwa się parcie na mocz (potrzebę oddania moczu). Otwierają się wtedy, sterowane wegetatywnym układem nerwowym, oba zwieracze na wyjściu z pęcherza do cewki moczowej. Uryna może przez cewkę wypłynąć z organizmu. Ponieważ jednak nie zawsze jest okazja oddania moczu, natura sprawiła, że w razie potrzeby zwieracz zewnętrzny da się zgodnie z wolą utrzymać w pozycji zaciśniętej tak długo, aż sposobność taka się pojawi. Udaje się to jednak tylko do pewnego stopnia. Gdy pęcherz jest przepełniony, ciśnienie panujące wewnątrz przemoże i nie zapobiegnie się już (choćby się chciało) wypłynięciu uryny. Zwieracz wewnętrzny w ogóle nie podlega woli i nie można sterować jego pracą.

Świadome utrzymywanie siłą woli zwieracza zewnętrznego w pozycji zaciśniętej

Choroby pęcherza i dróg moczowych

Zachorowania często spotykane

Choroby dróg moczowych spotyka się często. U kobiet dominuje zapalenie pęcherza, czemu sprzyja krótka żeńska cewka moczowa. Mężczyźni w drugiej połowie życia nagminnie cierpią na gruczolaka szyi pęcherza (gruczolaka prostaty), który wprawdzie powstaje w sterczu, ale zakłóca przede wszystkim wydalanie moczu. Niektóre choroby dróg moczowych, np. rzeżączkę, przenosi się drogą płciową. Na powstanie innych zaburzeń mogą mieć wpływ czynniki psychiczne, szczególnie w przypadku nerwicy (nadwrażliwości) pęcherza, znacznie powszechniejszej u kobiet niż u mężczyzn.

Diagnoza w porę

Potrzeba wczesnego rozpoznania

Im wcześniej choroba pęcherza czy innego fragmentu dróg moczowych zostanie zdiagnozowana, tym na ogół szybciej i pewniej da się ją wyleczyć, tym rzadziej wystąpią komplikacje. Dlatego ważne jest, by nawet w razie nieznacznych dolegliwości jak najrychlej udać się do specjalisty po właściwe rozpoznanie, a potem zapewnić sobie odpowiednią terapię.

Sygnały ostrzegawcze – wskazówki do autodiagnozy

Dolegliwości o różnym natężeniu

Schorzenia dróg moczowych powodują różnorakie, mniej lub bardziej uciążliwe dolegliwości. Na podstawie samych tylko objawów laik nie jest w stanie postawić prawidłowej autodiagnozy. Pojawienie się typowych symptomów pozwala jednak podejrzewać chorobę i powinno skłonić do poddania się specjalistycznym badaniom. Sygnały ostrzegawcze, mogące wskazywać na nieprawidłowości, to przede wszystkim:

Sygnały ostrzegawcze

- niezwykle częste lub ciągłe parcie na mocz, któremu towarzyszy oddawanie tylko niewielkiej ilości płynu, nieproporcjonalnie małej w stosunku do parcia,
- wydalanie mniejszych ilości moczu, który czasem kapie tylko kroplami; ewentualnie strumień cieńszy i słabszy niż dotychczas albo pojawiający się dopiero po chwili czekania i wymagający wysiłku mięśni brzucha,
- pieczenie, swędzenie, ból w pęcherzu lub cewce moczowej, powracające w trakcie lub po oddaniu moczu bądź stałe, niezależne od mikcji,
- uryna wyraźnie jaśniejsza niż zwykle, ciemniejsza bądź mętna, czasem z widoczną domieszką krwi (zwykle jednak obecności krwi mogą dowieść tylko badania laboratoryjne), często o łatwo wyczuwalnym, swoistym zapachu,
- niewyraźne objawy ogólne, przede wszystkim osłabienie, wyczerpanie, brak apetytu, bóle głowy, podwyższona (w różnym stopniu) temperatura.

Pierwsze cztery symptomy wskazują z dużym prawdopodobieństwem na schorzenie dróg moczowych, nie można też wykluczyć choroby nerek. Natomiast niewyraźne objawy ogólne występują także w wielu innych schorzeniach, więc podejrzenie choroby organów wydalniczych zachodzi dopiero wówczas, gdy symptomom ogólnym towarzyszą specyficzne.

Badania specjalistyczne

Gdy opisane wyżej sygnały ostrzegawcze skłonią pacjenta do wizyty u lekarza, ten sprawdzi podejrzenia, przeprowadzając różnorakie badania, na podstawie których stwierdzi jednoznacznie taką lub inną chorobę i zaordynuje stosowną terapię.

Badania rutynowe

Do badań rutynowych, wykonywanych w przypadku przypuszczenia choroby dróg moczowych, należą w pierwszym rzędzie:

Analiza moczu

- *Analiza moczu* w laboratorium; dziś stosowane są paski do testów, podzielone na pola nasączone różnymi odczynnikami, które w kontakcie z uryną zmieniają barwę w wyniku reakcji chemicznych – w ten sposób informację uzyskuje się szybko, bez konieczności żmudnych badań laboratoryjnych. Zasadniczo paski te, przeznaczone do badania świeżego moczu, pozwalają określić ciężar właściwy, pH, zawartość białka, cukru, mocznika, hemoglobiny, barwników żółciowych, drobnoustrojów chorobotwórczych i niektórych innych składników. To najczęściej wystarczy do postawienia wiarygodnej diagnozy.

Badania mikroskopowe

- *Badania mikroskopowe* mogą w razie potrzeby potwierdzić wstępną diagnozę uzyskaną z pasków testowych oraz ustalić inne parametry moczu, na przykład zawartość ciał stałych (osad w moczu).

Kultury bakteryjne

- *Kultury bakteryjne* hoduje się w razie podejrzenia, że doszło do infekcji dróg moczowych, jeśli paski testowe nie pozwalają na jednoznaczną diagnozę. Odpowiednio przygotowaną płytkę szklaną zanurza się w moczu i umieszcza w inkubatorze, by rozwinęły się możliwe do identyfikacji kultury bakteryjne. Gdy pozna się drobnoustroje, będące przyczyną zachorowania, można je zwalczać farmaceutykami. Taka hodowla pozwala też sprawdzić, jakie lekarstwa będą najbardziej skuteczne; uwalnia to pacjenta od zażywania „na próbę" nieefektywnych medykamentów.

Obok diagnostycznych badań laboratoryjnych wykonuje się często *cystoskopię* (wziernikowanie pęcherza). Po miejscowym znieczuleniu śluzówki wprowadza się wziernik przez cewkę moczową do pęcherza, by obejrzeć go od wewnątrz.

Cystoskopia

Nadto przez cystoskop można wprowadzić instrumenty chirurgiczne celem np. pobrania wycinka tkanki do dokładnych badań w przypadku podejrzenia nowotworu lub dla przeprowadzenia drobnych zabiegów chirurgicznych. Niestety, wziernikowanie stosuje się rutynowo, zbyt często. Nie ma to uzasadnienia: niejednokrotnie takie badanie powoduje przedostanie się zarazków do dróg moczowych. Cystoskopia wskazana jest tylko wówczas, gdy inną metodą nie da się dokonać prawidłowego rozpoznania.

Cystoskopię przeprowadza się zbyt często

Dalsze badania, na przykład zdjęcia rentgenowskie dróg moczowych, są rzadziej wymagane; zawsze zależy to jednak od konkretnego przypadku.

Można stwierdzić, że najczęściej do zalecenia odpowiedniej, skutecznej terapii wystarczy sama diagnostyka laboratoryjna.

Najczęściej wystarcza diagnostyka laboratoryjna

Często spotykane zapalenie pęcherza

Zapalenie pęcherza moczowego (*cystitis*) należy do najczęstszych chorób dróg moczowych. Jeśli nie jest dostatecznie wcześnie leczone lub terapia trwa zbyt krótko, wykazuje tendencję do przebiegu chronicznego bądź powoduje długotrwałą wrażliwość organu na podrażnienia, co może sprzyjać kolejnym ostrym zapaleniom nawet przy słabym bodźcu tego typu. Najlepiej zapobiegać zapaleniu stosując metody medycyny naturalnej; początkowo nie wyklucza to przyjmowania w razie potrzeby antybiotyków celem szybkiego zwalczenia infekcji.

Zapalenie pęcherza jest jedną z najczęstszych chorób dróg moczowych

Kto jest najbardziej zagrożony

Kobiety największą grupą ryzyka

Istnieją grupy ryzyka, w których zapalenie pęcherza występuje z dużą częstotliwością. Największą i najważniejszą są kobiety, niezależnie od wieku, poczynając od małych dziewczynek, a na staruszkach kończąc. Wyraźnie podwyższona zapadalność tłumaczy się tu anatomią: żeńska cewka moczowa ma tylko 2,5–4 cm długości. Przez nią czynniki chorobotwórcze mogą szybko przeniknąć do pęcherza. Dochodzi do tego wyższe ryzyko zakażenia w trakcie stosunku seksualnego, masturbacji i w okresie ciąży.

Wreszcie nie można zapominać, że wiele kobiet ubiera się zbyt lekko, szczególnie w chłodne dni. Dochodzi u nich do „zaziębienia" pęcherza, czemu towarzyszy miejscowe osłabienie odporności. Wtedy ochrona przed zarazkami, nawet spotykanymi stale, na co dzień, nie jest skuteczna.

Mężczyźni cztery razy rzadziej chorują na zapalenie pęcherza

Mężczyźni cierpią na zapalenie pęcherza moczowego około czterech razy rzadziej. Wśród nich grupę wysokiego ryzyka tworzą ci, którzy w drugiej połowie życia dotknięci są chorobami prostaty, szczególnie gruczolakiem. Wydalanie moczu jest wówczas utrudnione, co prowadzi zazwyczaj do zapalenia pęcherza.

Cukrzyca i dna – szczególne czynniki ryzyka

U obu płci rośnie prawdopodobieństwo zapalenia pęcherza u chorych na cukrzycę bądź dnę (zaburzenie metabolizmu kwasu moczowego). Poza tym szczególnymi czynnikami ryzyka dla kobiet i mężczyzn są kamienie w pęcherzu i wprowadzanie tam cewnika w celach diagnostycznych i terapeutycznych.

Rodzinna skłonność do zapalenia pęcherza

Wydaje się wreszcie, że istnieją liczne przypadki pewnej rodzinnej skłonności do zapalenia pęcherza. Jednak choroby nie można na tej podstawie uznać za dziedziczną. Raczej jest to lokalne osłabienie odporności uwarunkowane konstytucją organizmu.

Niewłaściwe podcieranie się

Ostatnie, często lekceważone zagrożenie, znowu dotyczące raczej kobiet, wynika z niewłaściwego podcierania się po oddaniu stolca. Gdy papier przesuwa się nie od przodu do tyłu i do góry, lecz w kierunku przeciwnym, można łatwo rozsiać bakterie coli i inne z jelita do cewki moczowej. Jednak nawet jeśli ktoś nie należy do żadnej z grup ryzyka, nie jest całkowicie bezpieczny. Zapalenie pęcherza moczowego może przytrafić się właściwie każdemu.

Każdy może zachorować na zapalenie pęcherza

Główne przyczyny zapalenia pęcherza moczowego

Z punktu widzenia medycyny naturalnej, ujmującej organizm człowieka całościowo, główną przyczyną infekcyjnego zapalenia pęcherza tylko na pierwszy rzut oka jest wniknięcie do organu drobnoustrojów chorobotwórczych. Gdyby układ odpornościowy był w pełni sprawny, organizm poradziłby sobie z nimi własnymi siłami, nie pojawiłyby się symptomy choroby. Problem pojawia się, gdy odporność jest osłabiona – przejściowo lub trwale, lokalnie bądź ogólnie. Zapalenie może być spowodowane wieloma indywidualnymi przyczynami, a do najważniejszych należą:

Zasadniczy problem to osłabienie odporności organizmu

- Ogólne wydelikacenie, brak hartu wynikły z niedostatku ruchu na świeżym powietrzu, a także (co dziś jest powszechne) z ubogiego pożywienia, które nie zawiera wszystkich potrzebnych składników, niezbędnych m.in. do skutecznego funkcjonowania systemu immunologicznego. Siły obronne organizmu są niewystarczające i w efekcie dochodzi do przeróżnych zachorowań, między innymi do zapalenia pęcherza moczowego.

Ogólny brak odporności

- Odzież (bielizna) zbyt lekka lub przemoknięta może również być przyczyną niskiej odporności, oczywiście przy ogólnym niezahartowaniu. Przemarznięcie powoduje osłabienie zdolności obronnych ogólne albo lokalne, na przykład w okolicy organów wydalania.

Zbyt lekka odzież

- Do lokalnego zmniejszenia odporności w okolicy podbrzusza mogą przyczynić się zbyt ciasne slipy i majtki wyszczuplające, utrudniające przepływ krwi; za niewłaściwą należy uznać ponadto bieliznę

Zbyt ciasne slipy

syntetyczną, ponieważ sprzyja przemarznięciom w rejonie pęcherza.

Bakterie to najpowszechniejszy mikroorganizm chorobotwórczy

Gdy podane okoliczności negatywnie wpłyną na organizm ludzki, różne drobnoustroje chorobotwórcze mogą spowodować zapalenie pęcherza. Do najpowszechniejszych należą bakterie (pałeczki okrężnicy, gronkowce, paciorkowce), a niekiedy też wirusy i grzyby (te ostatnie szczególnie u cukrzyków).

W większości przypadków wnikają one do pęcherza z zewnątrz, przez cewkę moczową. Rzadziej infekcja postępuje z góry w dół: z nerek, miedniczek nerkowych poprzez moczowody. Może się zdarzyć przedostanie zarazków do pęcherza z innych regionów organizmu wraz z krwią lub limfą bądź przeniknięcie z okrężnicy, gdy ta uległa zakażeniu.

Dokładnego rozpoznania zarazka można dokonać przez specjalistyczne badanie z wykorzystaniem hodowli na pożywce (patrz s. 24). Jest to szczególnie ważne, gdy stan zapalny wymaga leczenia skutecznymi antybiotykami lub środkami przeciwgrzybicznymi. Chodzi o to, by w każdym przypadku od samego początku stosować w terapii medykamenty sprawdzone i efektywne.

Czynniki mechaniczne też mogą powodować podrażnienie pęcherza

Najczęściej zapalenie pęcherza spowodowane jest infekcjami. Niekiedy jednak zapalne podrażnienie powodują także czynniki mechaniczne. Oprócz cewników wprowadzanych do pęcherza, które poza ryzykiem przeniesienia mikroorganizmów chorobotwórczych mogą wywoływać urazy mechaniczne, rolę sprawczą w konkretnych przypadkach odgrywają też niektóre praktyki współżycia seksualnego i przyrządy pomocnicze używane do masturbacji.

Zdarza się, przede wszystkim u kobiet, częsta skłonność do rozmyślnego zatrzymywania moczu (przyczyn można doszukiwać się w psychice, np. w usilnym wpajaniu nawyku czystości we wczesnym dzieciństwie). Rezultatem jest gwałtowne rozmnożenie w pęcherzu drobnoustrojów, które co prawda znajdują się tam stale, także w zdrowym organizmie, ale ich nadmiar prowadzi do przeciążenia systemu immunologicznego.

Objawy i przebieg choroby

Zapalenie pęcherza moczowego może przebiegać bardzo lekko, prawie niedostrzegalnie; jest wówczas szczególnie niebezpieczne, gdyż zazwyczaj bywa lekceważone i zaniedbywane, co grozi poważnymi komplikacjami. Kiedy indziej występują poważne dolegliwości i dotkliwe bóle, skłaniające zwykle do wczesnej wizyty u lekarza. W przebiegu chronicznym, ciągnącym się przez całe lata, symptomy są najczęściej „do zniesienia", jednak nawet najmniejsze podrażnienie pęcherza spowodować może zaostrzenie stanu zapalnego.

Lekkie zapalenia pęcherza są szczególnie niebezpieczne

Ostre zapalenie pęcherza moczowego

W najlżejszej postaci, spotykanej głównie u kobiet, zapalenie pęcherza moczowego wywołuje jedynie podrażnienie śluzówki. W wyniku tego mocz oddawany jest częściej niż zwykle, ale nie odczuwa się innych objawów chorobowych.

Typowy obraz ostrego zapalenia pęcherza moczowego charakteryzują: stałe, nieprzyjemne, prawie bolesne parcie na mocz; bardzo częste oddawanie niewielkich porcji uryny, zwykle mętnej, rzadziej krwawej; bóle pęcherza, ból i pieczenie w cewce moczowej w trakcie mikcji. Przy kaszlu, kichaniu i śmiechu następuje niekontrolowany wypływ drobnych ilości moczu, zdarza się moczenie nocne.

Nieprzyjemne, stałe parcie na mocz

W przypadkach ciężkich powyższym objawom towarzyszą dreszcze, gorączka, bóle brzucha, biegunka, nudności, brak apetytu. Możliwy też jest promieniujący ból w plecach, który często wskazuje na to, że infekcja z pęcherza przeniosła się do miedniczek nerkowych.

Ciężkie przypadki

Farmaceutyki chemiczne, skuteczne w zwalczaniu zarazków i bólu, na ogół szybko uśmierzają objawy

Wspomaganie organizmu środkami medycyny naturalnej

ostrego zapalenia. Gdy wesprzemy wówczas organizm naturalnymi środkami leczniczymi, zwykle własnymi siłami upora się z chorobą. W żadnym razie nie wolno przerwać terapii przedwcześnie, gdy pozostały jakiekolwiek dolegliwości, bo to oznacza, że wyzdrowienie jeszcze nie nastąpiło. W takiej sytuacji może dojść do przekształcenia się niewyleczonego do końca zapalenia ostrego w chroniczne.

Chroniczne zapalenie pęcherza moczowego

Objawy zapalenia chronicznego

Objawy zapalenia chronicznego są (niestety) zazwyczaj tak mało dokuczliwe, że można się do nich przyzwyczaić. Przede wszystkim jest to nienormalnie silne parcie, zmuszające do częstszego oddawania moczu, ale z tym – zdaniem wielu – da się żyć. Liczni pacjenci znoszą nawet przez lata znacznie bardziej dające się we znaki dolegliwości – sporadyczne pieczenie i swędzenie w cewce moczowej oraz bóle w okolicy pęcherza.

Niebezpieczeństwo komplikacji

Gdy zapalenie pęcherza ma przebieg chroniczny, ryzyko powikłań wzrasta. Przede wszystkim może rozwinąć się chroniczna nerwica (patrz s. 51 i nast.) pęcherza, co przydarza się głównie kobietom, może także nastąpić przeniesienie zarazków z pęcherza przez moczowody do miedniczek nerkowych i nerek. Nadto zapalenie chroniczne może nawet przy najmniejszym podrażnieniu (np. zmarznięciu, przemoknięciu) ponownie przejść w formę ostrą, o gwałtownych objawach.

Temu wszystkiemu da się zapobiec jedynie przez dostatecznie długie leczenie ostrego zapalenia metodami naturalnymi, trwające do momentu aż pęcherz będzie całkowicie i bez wątpliwości zdrowy.

Możliwe komplikacje

Tak ostremu, jak i przewlekłemu zapaleniu pęcherza towarzyszyć mogą komplikacje w postaci chorób następczych. Ich pojawieniem się grożą szczególnie ciężkie zapalenia ostre, obejmujące poza powierzchniową śluzówką także mięśniową ścianę organu, oraz stany chroniczne.

Najczęstsze niebezpieczeństwa wymieniono już przy omawianiu chronicznego zapalenia pęcherza moczowego. Należą do nich: rozwój przewlekłej nerwicy pęcherza i zakażenie miedniczek nerkowych lub nerek. Te schorzenia wyczerpująco omówimy później, pod odpowiednimi hasłami.

Dalsze powikłania

Dalsze możliwe powikłania związane z zapaleniem pęcherza to:

- *wrzody śluzówki pęcherza*, w ciężkich przypadkach rozległe; wnikają w ścianę pęcherza i mogą powodować krwawienie,
- *perforacja pęcherza*, gdy zapalenie przeniknie przez ścianę; dodatkową komplikacją może być zagrażające życiu pacjenta zapalenie otrzewnej,
- *rogowacenia białe błony śluzowej pęcherza* spowodowane przewlekłym drażnieniem przez stan zapalny; te modzelowate białawe zgrubienia, dające się rozpoznać tylko w badaniu cystoskopowym, należy często kontrolować bądź chirurgicznie usunąć, gdyż mogą ulec zrakowaceniu,
- *marskość pęcherza*, będąca końcowym stadium zapalenia chronicznego; pęcherz jest zmniejszony, ma sztywne ściany i ograniczoną pojemność, zaś parcie się zwiększa.

Wszystkie wymienione komplikacje mogą stanowić poważne zagrożenie i przechodzić w stany chroniczne.

Jeszcze raz okazuje się, jak ważne jest konsekwentne i bezwzględne uporanie się z nawet pozornie niewielkim nieżytem pęcherza, który prawie nie powoduje dolegliwości. Im szybciej zaczniemy terapię, tym większa jest szansa uniknięcia powikłań.

Leczenie zapalenia pęcherza

Terapia według medycyny konwencjonalnej

W leczeniu zapalenia pęcherza moczowego medycyna konwencjonalna ordynuje najczęściej leki odkażające mocz, bakteriobójcze lub, w razie zakażenia grzybicznego, przeciwgrzybiczne. Nie ma specjalnych lekarstw przeciwko wirusom, które czasem też wywołują zapalenie pęcherza. Przed wirusami organizm musi obronić się sam. Antybiotyki są jednak wskazane przy infekcjach wirusowych, jeśli pojawi się dodatkowe nadkażenie bakteryjne, ponieważ siły obronne organizmu są już wówczas bardzo zaangażowane w walkę z wirusami.

Często medykamenty stosowane przeciw zarazkom zawierają również substancje czynne łagodzące ból pęcherza lub cewki moczowej, dlatego symptomy zapalenia można szybko usunąć i zarazki prędko zniszczyć.

Ta intensywna terapia nie jest jednak bez wad; zależnie od rodzaju stosowanych środków może przynieść różnorodne skutki uboczne. Takie leczenie nie wzmacnia odporności organizmu, a przecież to osłabiona odporność jest właściwą przyczyną infekcyjnego zapalenia pęcherza.

Uzupełnienie terapii środkami medycyny naturalnej

Mimo tego terapia antybiotykami jest uzasadniona jako początkowa faza zwalczania silnych dolegliwości i poważniejszych zakażeń. W celu zapobieżenia nawrotom choroby winna być jednak uzupełniona przez środki naturalne, stosowane jako przedłużenie leczenia przez pewien czas po ustaniu gwałtownych objawów. W lżejszych stanach zwykle wystarczy korzystać od samego początku z metod medycyny naturalnej.

Ogólne leczenie podstawowe

W terapii bazowej zapalenia pęcherza moczowego medycyna naturalna zachęca do przestrzegania dwóch zasad dotyczących pożywienia i picia. Zaleca:

- Żywienie wegetariańskie, dużo surówek, z kilkoma dniami postu na początek, kiedy spożywa się tylko 1 kg świeżej sałaty, owoców czy surowych warzyw albo 750 ml naturalnego soku owocowego, warzywnego lub ziołowego. Należy zrezygnować z owoców cytrusowych, octu i ostrych przypraw (pieprz, papryka), by nie drażnić bez potrzeby błony śluzowej pęcherza. Ta dieta jest bodźcem do przestrojenia układu immunologicznego, wzmacnia go i czyni zdolnym do zupełnego uleczenia nawet chronicznego zapalenia pęcherza.

Dieta wegetariańska

- Dostarczanie odpowiedniej ilości płynów, by uniknąć zbyt dużego stężenia moczu i zawartych w nim drobnoustrojów oraz spowodować wypłukanie zarazków. Dziennie należy zaopatrywać organizm przynajmniej w 2 l płynów. Dobrze jest wypijać 3–4 filiżanki gotowej, dostępnej w aptece herbatki dla cierpiących na pęcherz i nerki, przyrządzanej zgodnie z przepisem; zazwyczaj mieszanka taka zawiera mącznicę lekarską, brzozę, wilżynę cienistą, czasami też jałowiec – wszystkie korzystnie wpływają na układ wydalniczy, są moczopędne. Herbatkę pić zawsze ciepłą, niesłodzoną, nawet jeśli bez cukru nie smakuje. Do tego powinno się wypijać ok. 1,5 l wody mineralnej o niskiej zawartości CO_2, NaCl i azotanów. Taka woda również rozcieńcza urynę i pobudza wydalanie. Objętość spożywanych płynów jest wystarczająca, gdy mocz jest niemal bezbarwny (czyli mało zagęszczony).

Dużo płynów

Substancje czynne pochodzenia roślinnego i homeopatyczne

Woda mineralna

Rezygnacja z kawy i alkoholu

Należy zrezygnować z kawy i alkoholu pod każdą postacią! Nie wolno rozmyślnie przetrzymywać długo moczu, lecz oddawać go, gdy tylko wyczuje się parcie i jest taka możliwość.

Terapia lekami

W leczeniu zapalenia pęcherza medycyna naturalna preferuje leki pochodzenia roślinnego i leki homeopatyczne. Te pierwsze są wystarczające w lżejszych przypadkach chorobowych. W cięższych chorobach używa się ich do uzupełnienia terapii. Środki homeopatyczne mogą być wielką pomocą także przy poważnym zapaleniu pęcherza, gdy ich prawidłowego doboru dokona specjalista, uwzględniając indywidualne potrzeby pacjenta; nieraz jednak bywa wówczas konieczne wstępne leczenie antybiotykami.

Mącznica lekarska

W ziołolecznictwie centralne miejsce zajmuje mącznica lekarska (*Arctostaphylos uva-ursi*). Liście tej krzewinki z rodziny wrzosowatych zawierają podstawowe substancje czynne: arbutynę i metyloarbutynę. Związki te rozpadają się w alkalicznym moczu, wytwarzając składniki dezynfekujące, które w mniej poważnych przypadkach wystarczają do zniszczenia zarazków w pęcherzu (mocz, zwykle kwaśny, musi zostać w tym celu zalkalizowany, co osiąga się, zażywając sodę oczyszczoną). Mącznica lekarska barwi urynę na kolor oliwkowozielony lub brązowawy.

Ewentualne skutki uboczne

Skutki uboczne, które mogą pojawić się u wrażliwych pacjentów, to dolegliwości żołądkowe i nudności wywołane dużą zawartością garbników w liściach.

Napar nie nadaje się

Najczęściej mącznicę lekarską stosuje się w postaci gotowego leku, zawierającego standardowe stężenie substancji czynnych. Napar nie jest zalecany również dlatego, że nie zapewnia stałego dostarczania organizmowi odpowiednio wysokiej dawki składników aktywnych.

Gotowe medykamenty roślinne leczące zapalenie pęcherza często zawierają, obok mącznicy lekarskiej, inne komponenty jako dopełnienie. Zazwyczaj wśród nich są:

Liść brzozy

- *liście* lub *sok brzozy*, działają silnie moczopędnie; układ wydalniczy zostaje przepłukany i zarazki wypływają z moczem na zewnątrz,

Przetaczniak leśny

- *przetaczniak leśny,* również moczopędny, oddziałuje przeciwzapalnie na śluzówkę,

Nawłoć

- *nawłoć*, zawiera skuteczne substancje moczopędne i przeciwzapalne, przede wszystkim zapobiega

przeniesieniu stanu zapalnego z pęcherza do nerek, a więc zapewnia nerkom prewencyjną ochronę,
- *wilżyna cienista*, podobnie jak brzoza jest silnie moczopędna,
- *dziurawiec pospolity* wprawdzie nie działa leczniczo na pęcherz, ale wskazany jest w przypadku skurczowego bólu czy chronicznej nerwicy (nadwrażliwości) pęcherza,
- *owoce jałowca* o silnym działaniu moczopędnym; pacjenci nie zawsze dobrze je tolerują (należy skonsultować z lekarzem); można stosować nieprzerwanie nie dłużej niż 4 tygodnie, inaczej mogą uszkodzić nerki.

Wilżyna cienista

Dziurawiec pospolity

Owoce jałowca

W skład omawianych lekarstw wchodzą też inne rośliny, ale nie ma potrzeby się nad tym rozwodzić. Wymieńmy tylko jeżówkę (*Echinacea*), która nie oddziałuje w sposób szczególny na pęcherz, ale wzmacnia ogólną odporność, wzmaga zdolność samoleczenia i pomaga siłom obronnym organizmu całkowicie uporać się z chorobą.

Echinacea

Homeopatia zna tak wiele sprawdzonych środków na zapalenie pęcherza, że wspomnieć tu można tylko o niektórych. Wszystkich omawiać nie ma potrzeby, gdyż terapię zawsze trzeba dostosować do indywidualnego obrazu klinicznego choroby, który należy dokładnie ustalić. Dopiero po uzyskaniu takiej obszernej diagnozy wybiera się ten jeden jedyny środek we właściwym stężeniu (czy raczej rozcieńczeniu), który do konkretnego pacjenta pasuje jak ulał i czasem bardzo szybko skutkuje. Jeśli to się nie uda, można zaordynować dwa medykamenty lub więcej (homeopatia kompleksowa), by kurację dostosować możliwie precyzyjnie. Mocno rozcieńczone substancje homeopatyczne działają na organizm jak słaby bodziec, który wybiórczo aktywizuje system immunologiczny przeciw danej chorobie.

Środki homeopatyczne

Do najważniejszych preparatów homeopatycznych stosowanych w zapaleniu pęcherza należą:
- *Cantharis* (wysuszona mucha hiszpańska) D4, główny środek homeopatyczny stosowany przede

Cantharis

wszystkim w zapaleniach pęcherza o gwałtownym przebiegu, którym towarzyszy silny piekący ból; wyraźne złagodzenie bólu może nastąpić niezwłocznie po zażyciu, nie wolno tego jednak mylić z wyleczeniem.

Chimaphila

- *Chimaphila* (pomocnik baldaszkowy) D4, „mały" środek homeopatyczny, usuwający głównie objawy, podawany zasadniczo jako lek uzupełniający przy chronicznym zapaleniu pęcherza, przede wszystkim gdy mocz zawiera dużo osadu stałego.

Coccus cati

- *Coccus cati* D4, również „mały" lek stosowany w zapaleniu pęcherza, działający raczej na objawy; potrafi szybko uśmierzyć dolegliwości.

Pareira brava

- *Pareira brava* (abuta) D4, może być traktowany jako uzupełniający, gdy oddawanie moczu połączone jest z kolkowym bólem; skurcze te bywają czasem tak silne, że powodują zatrzymanie moczu.

Petroselinum sativum

- *Petroselinum sativum* (pietruszka) D4 w chronicznym podrażnieniu (nerwicy, nadwrażliwości) i zapaleniu pęcherza; skuteczna, gdy uporczywie pojawia się nagłe, bardzo silne parcie na mocz i zachodzi podejrzenie, że zaatakowana została miedniczka nerkowa.

Środki kompleksowe

Inne środki indywidualne są zalecane, gdy lepiej niż wymienione powyżej odpowiadają klinicznemu obrazowi choroby. Ponieważ jednak w schorzeniach dróg moczowych z ich rozmaitością objawów bardzo rzadko udaje się znaleźć jeden uniwersalny środek na wszystkie dolegliwości, należy w razie potrzeby w porę zastosować kompleksowy środek wieloskładnikowy, nawet gdy sprzeciwia się to klasycznej homeopatii.

Zmiana terapii może okazać się niezbędna

Zależnie od reakcji organizmu w trakcie choroby może okazać się niezbędna zmiana pierwotnie przepisanego leczenia celem dopasowania na nowo do potrzeb konkretnego pacjenta.

Nie ma skutków ubocznych stosowania środków homeopatycznych

Nie należy obawiać się następstw ubocznych leczenia homeopatycznego. Pierwszą reakcją organizmu, na samym początku terapii, może być wprawdzie przejściowe nasilenie się istniejących już, niekorzystnych objawów, ale nie jest to niepożądany skutek uboczny, lecz znak, że środek zaczyna działać. Nie wolno więc zwalczać tego chwilowego pogorszenia stanu pacjenta lekarstwami konwencjonalnymi, gdyż wtedy hamujemy siły obronne organizmu, które właśnie się budzą. Terapeuta winien ocenić oddzielnie każdy przypadek, aby zadecydować, czy na jakiś czas zmniejszyć dawkę danego leku homeopatycznego, czy zrezygnować z niego, aż wstępna reakcja zniknie.

Nie zwalczać wstępnego pogorszenia stanu pacjenta

Terapia fizykalna

Jeśli ostre zapalenie pęcherza ma cięższy przebieg lub następuje nawrót pozornie wyleczonej choroby, a zawsze, kiedy pojawia się gorączka, trzeba kilka dni wypoczywać w łóżku. Jeśli w moczu pojawi się krew, nieodzowne może stać się gruntowne badanie i intensywna terapia w klinice.

Kilka dni w łóżku

Gdy leżenie nie jest konieczne, należy bezwzględnie nosić ciepłą bieliznę, by chronić zagrożony rejon pęcherza. Bielizna winna być z włókien naturalnych, dobrze izolujących od chłodu; z doświadczenia wiadomo, że tkaniny syntetyczne nie są odpowiednie. Ubiór nie może być zbyt ciasny, aby nie zakłócać krążenia krwi w podbrzuszu, koniecznego do swobodnego dopływu substancji odpornościowych do pęcherza. Nadto należy wystrzegać się przemarznięcia i przemoknięcia, w miarę możności najlepiej nie opuszczać domu przy niepogodzie.

Ciepła bielizna

Spośród środków fizykalnych do uzupełniającego leczenia miejscowego stosowane są przede wszystkim następujące:

- *Ciepły okład na okolicę pęcherza,* łagodzący ból i skurcze oraz wspomagający leczenie. Wystarczy do tego zwykłe grube prześcieradło (płótno), złożone tak, by pokrywało całą okolicę pęcherza; zanurza się je w ciepłej (nie gorącej) wodzie, wyżyma i przykłada. Z kolei na to kładzie się i owija się wokół podbrzusza suche płótno, a następnie jako warstwę wierzchnią tak samo owija się chustę wełnianą, która będzie

Ciepły okład na okolicę pęcherza

zapobiegać zbyt szybkiemu stygnięciu kompresu. Okład trzyma się przez 1–1,5 godziny, po czym należy pozostać przez 30 minut w uprzednio ogrzanym łóżku.

Okłady z kwiatów traw

- Skuteczniejszy od poprzedniego jest *okład z kwiatów traw*, dostępny w aptece w postaci gotowego kompresu wraz z przepisem użycia. Kwiaty traw działają nadzwyczaj łagodząco na bóle i przeciwzapalnie. Zależnie od nasilenia choroby okład ten stosuje się 2–4 razy dziennie.

Nasiadówki z rosnącą temperaturą wody

- *Nasiadówki z rosnącą temperaturą wody* mogą odbywać się w specjalnej wannie albo zwykłej wannie łazienkowej. Nalewa się do niej tyle wody, by sięgała do wysokości nerek. Podudzia i stopy pozostają nad wodą, najlepiej oprzeć je o brzeg wanny. Na początku temperatura kąpieli powinna wynosić 36–37 stopni; w ciągu 10 minut stopniowo dolewa się gorącej wody (ostrożnie, by się nie poparzyć) aż temperatura osiągnie ok. 40 stopni. By nie tracić ciepła, okrywa się górną część ciała i wannę dużymi prześcieradłami. Nasiadówkę kończy się po ok. 20 minutach, gdy tylko wystąpią silne poty, a potem odpoczywa godzinę w ciepłym łóżku. Taki zabieg łagodzi bóle i skurcze organów wydalniczych, nie wszyscy jednak dobrze go znoszą; osoby z dolegliwościami krążenia wieńcowego mogą korzystać z nasiadówek za zgodą lekarza, najlepiej tylko przed południem. Na ogół w leczeniu uzupełniającym wystarczą 2–3 nasiadówki tygodniowo.

Ciepłe kąpiele stóp

- *Ciepłe kąpiele stóp* wskazane są jako element terapii pomocniczej wtedy, gdy pacjenci (zwykle kobiety) uskarżają się na chroniczne marznięcie stóp. Dokładnie rzecz ujmując, chodzi tu o kąpiel podudzi, gdyż woda winna sięgać powyżej połowy łydki. Stosuje się jedno naczynie na obie nogi albo dwa naczynia oddzielnie na każdą (np. wiadra). Temperatura wody powinna wynosić 38–39 stopni, czas kąpieli 15–20 minut. Zabieg pośrednio wpływa też korzystnie na czynność pęcherza. Na zakończenie należy położyć się do łóżka na 30 minut.

- W przypadku silniejszych skurczów organów wydalania lepsze efekty może przynieść *kąpiel stóp z rosnącą temperaturą wody*. Zaczyna się od 36 stopni i przez dolewanie gorącej wody w ciągu 10 minut podwyższa się temperaturę do 39–40 stopni. Zabieg się kończy, gdy wystąpi silne pocenie. Z kąpieli stóp ze stałą i rosnącą temperaturą można korzystać 2–3 razy dziennie.

Kąpiel stóp z rosnąca temperaturą wody

- *Marsz w zimnej wodzie* jako terapia możliwy jest dopiero wtedy, gdy ostre zapalenie pęcherza zostanie w znacznym stopniu wyleczone. Zabieg służy prewencyjnemu hartowaniu. W wannie napełnionej zimną wodą do połowy łydki maszeruje się tam i z powrotem przez około dwie minuty, przy każdym kroku wyciągając stopę z wody. Doprowadzi to do przyjemnego ogrzania stóp. Systematyczne powtarzanie marszu sprzyja regulacji naczyniowej i ogólnej regulacji funkcji obronnych organizmu, co może zapewnić w przyszłości lepszą ochronę przed zakażeniami.

Marsz w wodzie

Jeżeli wszystkie dotychczas podane działania (włączając stosowanie antybiotyków) nie doprowadzą do trwałego wyleczenia zapalenia pęcherza, należy koniecznie skontrolować drogi moczowe w celu sprawdzenia, czy nie ma tam drobnych zniekształceń, zaburzeń i wad rozwojowych, które, jak wiadomo z doświadczenia, nie są rzadkie, ale nieraz bywają pomijane przy poszukiwaniu przyczyny schorzenia. Ponadto w dokładnym badaniu trzeba wykluczyć istnienie kamieni czy guzów.

Przyczyną mogą być też zniekształcenia i wady rozwojowe dróg moczowych

Guzy pęcherza moczowego

Występują głównie u mężczyzn

Nowotwory pęcherza występują głównie u mężczyzn. Prawie zawsze są to guzy pierwotne, powstające w samym pęcherzu, tylko 1% z nich wrasta w pęcherz z zewnątrz, głównie z prostaty czy jelita grubego. Przy nowotworach pęcherza pacjent sam sobie nie pomoże. Przy najmniejszym podejrzeniu guza konieczna jest konsultacja lekarska!

Łagodne nowotwory pęcherza

Przyczyny brodawczaka pęcherza nie są dostatecznie znane

Przyczyny łagodnego początkowo brodawczaka pęcherza moczowego nie są dziś jeszcze wystarczająco poznane. Chodzi przy tym o typową chorobę starczą, zaczynającą się zwykle po 50 roku życia, dotykającą 75% mężczyzn. Ponieważ nie występują jednoznaczne objawy, diagnozę postawić można jedynie na podstawie badania cystoskopowego i zdjęć rentgenowskich.

Rozrost rozpoczyna się w śluzówce, najczęściej najpierw w dnie pęcherza, i obejmuje ujścia moczowodów i wejście do cewki moczowej. Czasem jest to jeden guz, który może przybrać rozmiary gęsiego jaja, czasem nowotwór rozpościera się warstwą na powierzchni wewnętrznej pęcherza. Symptomy zależą od wielkości i rozprzestrzenienia. Do głównych dolegliwości należą:

Główne dolegliwości

- niemiły, lekki ucisk w pęcherzu, bez bólu lub z niewielkim bólem,
- często krwawy mocz, niekoniecznie przy każdej mikcji (czasem obecność krwi w urynie stwierdzić można tylko laboratoryjnie),
- osłabienie strumienia moczu, gdy guz stopniowo zawęża szyję pęcherza; możliwa komplikacja to zaleganie moczu aż do nerek, co grozi ich poważnym uszkodzeniem,
- w większości przypadków dochodzą objawy zapalenia pęcherza.

Terapia

W przypadkach lżejszych terapia może ograniczyć się do środków homeopatycznych i roślinnych, jak przy zapaleniu pęcherza. Gdy guz wywołuje silniejsze dolegliwości lub poważnie utrudnia oddawanie moczu, z reguły usuwany jest chirurgicznie. Zawsze potrzebna jest systematyczna cystoskopowa obserwacja nowotworu, ponieważ zachodzi ryzyko uzłośliwienia. Także po wycięciu operacyjnym konieczne są regularne badania kontrolne ze względu na wysokie prawdopodobieństwo nawrotów.

Duże ryzyko nawrotów

Rak pęcherza

Rak pęcherza to drugi co do częstotliwości pojawiania się nowotwór układu urogenitalnego (na pierwszym miejscu stoi rak prostaty). Zachorowalność mężczyzn jest około trzykrotnie większa niż kobiet. Zazwyczaj choroba zaczyna się po 50 roku życia. Szanse na wyleczenie są zasadniczo małe, chociaż ten nowotwór przeważnie rozrasta się powoli, a tendencja do przerzutów pojawia się późno. Ponieważ jednak sygnały ostrzegawcze zbyt często są przez długi czas lekceważone, rozpoznanie w wielu przypadkach następuje za późno. U co piątego pacjenta stwierdza się już wtedy rozległy guz, wnikający głęboko w ścianę mięśniową pęcherza lub nawet przerzuty do sąsiednich węzłów chłonnych. W tak zaawansowanym stadium prawdopodobieństwo przeżycia jest zwykle niewielkie.

Pojawia się najczęściej po 50 roku życia

Do dziś przyczyny raka pęcherza nie są dokładnie poznane. Być może w pojedynczych przypadkach odgrywa tu jakąś rolę sprawczą chroniczne zapalenie pęcherza moczowego. W każdym razie większość złośliwych nowotworów pęcherza zaczyna się od łagodnych brodawczaków śluzówki, dlatego należy je regularnie obserwować przez cystoskop jako ewentualne stadium przedrakowe.

Przyczyny wciąż nieznane

Istnieje ponadto ewidentny związek między rakiem pęcherza a paleniem tytoniu, gdyż część wdychanych substancji szkodliwych wydalana jest z moczem i może w ten sposób uszkadzać śluzówkę pęcherza. Bardziej

Związek raka pęcherza z paleniem tytoniu

zagrożeni są także pracownicy przemysłu gumowego, skórzanego, tekstylnego i farbiarskiego, mający kontakt z określonymi związkami (aminami aromatycznymi) uważanymi za rakotwórcze, które również usuwane są z organizmu razem z uryną.

Sygnały ostrzegawcze raka pęcherza

Wczesne stadium bezbolesne

Rak pęcherza, jak wiele innych nowotworów złośliwych, we wczesnym stadium nie daje ewidentnych objawów, w szczególności nie powoduje bólu, który w porę zmusiłby pacjenta do szukania pomocy u specjalisty. Dlatego chory na nowotwór często podejmuje leczenie w takim stadium choroby, w którym medycyna naturalna może już tylko ulżyć, ale nie uleczyć. Ponadto wielu ludziom zażenowanie nie pozwala poświęcać uwagi własnemu moczowi, toteż zmiany (przede wszystkim pojawienie się krwi) zauważają na ogół przypadkowo – zwykle choroba jest już wówczas zaawansowana.

Badanie cystoskopowe

Wczesna, dokładna diagnoza raka pęcherza możliwa jest tylko z zastosowaniem cystoskopu, a więc pacjent mający najmniejsze nawet podejrzenie, powinien natychmiast przezwyciężyć zarówno strach przed potwierdzeniem obaw, jak i fałszywy wstyd i udać się do lekarza celem sprawdzenia swoich obaw.

Najważniejsze sygnały ostrzegawcze

Oto najważniejsze sygnały wskazujące na możliwość pojawienia się raka pęcherza. Rozpoznać je może nawet laik:

- *Krew w moczu, dostrzegalna gołym okiem, w różnych ilościach*; nie musi pojawiać się za każdym razem; są okresy, kiedy nie widać jej wcale, co błędnie uważa się za oznakę uspokajającą. W zasadzie krew w urynie zawsze nasuwać musi podejrzenie raka, póki poprzez badanie nie ustali się dokładnie rzeczywistej przyczyny!
- *Niezwykle częste parcie na mocz przy jednoczesnym oddawaniu jego niewielkich ilości* może być kolejnym objawem, pojawiającym się dość wcześnie.
- *Bóle podczas mikcji* pojawiają się później i promieniują na okolicę odbytu i na penis u mężczyzn.

- W przypadkach zaawansowanych występują także *bóle w okolicy pęcherza*; strumień moczu jest słaby.

Jednak wszystkie te omówione symptomy nie są jednoznacznymi oznakami raka. Objawy tego typu mogą być spowodowane innymi chorobami pęcherza. Stwierdzić to może jednak dopiero badanie lekarskie, które należy wykonać jak najszybciej.

Przebieg choroby

Rak zaczyna się w błonie śluzowej

Rak pęcherza zaczyna się w śluzówce. Stadium przedrakowym często bywa (dłużej albo krócej istniejący) łagodny brodawczak, nieusunięty w porę albo nieobserwowany systematycznie przez cystoskop. Guz wrasta stopniowo coraz głębiej w ścianę pęcherza. Jeśli w tym ograniczonym przestrzennie stadium nie przeprowadzi się skutecznego leczenia, dalszy rozrost guza spowoduje przerzuty. Początkowo bliskie, dosięgną najpierw okolicznych węzłów chłonnych, dopiero później ujawnią się dalekie, przede wszystkim do wątroby, płuc i mózgu. Jeśli guz całkiem przebije ścianę pęcherza, obejmie sąsiednie organy, głównie układ rozrodczy, jelito grube, miednicę i kręgosłup lędźwiowy. Metastazy do kości mogą powstawać w miejscach bardziej oddalonych od miednicy w wyniku przeniesienia tam komórek przerzutowych.

Przerzuty

Pojawia się czasem krew w moczu

Choroba rozpoczyna się pojawianiem się od czasu do czasu krwi w moczu. Później stale zawiera on krew; nieraz są to obfite krwawienia.

> Praktyka wykazuje, że ten symptom nasuwa wprawdzie pacjentom myśl o nowotworze, ale często wypierają ją ze świadomości. Nawet przy ciągłych krwawieniach wmawiają sobie, że ustaną same. Okoliczność, że nie towarzyszy im ból, wzmaga skłonność do samouspokajania i lekceważenia krwawienia.

Zakłócenia w opróżnianiu pęcherza

W dalszym przebiegu choroby występują i nasilają się zakłócenia w opróżnianiu pęcherza. Oddawanie moczu jest utrudnione, wymaga coraz większego nacisku mięśni brzucha, strumień staje się cieńszy. Objawy są częściowo podobne do tych przy zapaleniu pęcherza. Ponieważ mocz zatrzymywany jest w pęcherzu, wzrasta ryzyko zapalenia tego organu i zalegania moczu aż do miedniczek nerkowych.

Dopiero później bóle pęcherza

Postępująca choroba stosunkowo późno powoduje narastający ból w samym pęcherzu i sąsiednich narządach w przypadku przebicia się guza przez ścianę pęcherza. Ból rozszerza się na okolicę lędźwiową, gdy rosnący guz prowadzi do zwężenia któregoś moczowodu. Kiedy ból stanie się na tyle silny, że pacjent wreszcie odwiedzi lekarza, prognozy są niekorzystne, a trwałe wyleczenie prawie nieosiągalne.

W wyniku przerzutów dochodzi też zazwyczaj do obrzęku węzłów chłonnych w okolicy pachwin. Ponadto gdy powstaną metastazy w kręgosłupie lędźwiowym, mogą wystąpić chroniczne bóle w krzyżu. Po części jednak te bóle nie mają związku z przerzutami, lecz są objawem uszkodzenia nerek przez zalegający mocz. Może to z kolei prowadzić do śmierci spowodowanej krańcową niewydolnością nerek.

Dodatkowe bóle i inne jeszcze objawy pojawiają się w dotkniętych dalekimi metastazami narządach, szczególnie wątrobie i płucach, które będąc wielkimi filtrami krwi, szczególnie często mają kontakt z komórkami przerzutowymi. W stadium bardzo zaawansowanym zdarzają się przerzuty do mózgu, wywołujące zakłócenia jego pracy, dalej w całym układzie kostnym (bóle kości, obrzęki). Jednakże takie dalekie przerzuty nie są częste, bowiem dla raka pęcherza charakterystyczny jest raczej lokalny wzrost inwazyjny.

Okres przeżycia pacjenta najwyżej 2 lata

Nieleczony zaawansowany rak pęcherza szybko kończy się zgonem. Ale nawet gdy podejmie się intensywną terapię, czas życia pacjenta po operacji w przypadku zbyt późnej diagnozy wynosi na ogół nie więcej niż 2 lata.

Metody leczenia raka pęcherza

Całkowite wyleczenie, cel każdej terapii, da się na ogół osiągnąć, jeśli rak pęcherza zostanie wcześnie zdiagnozowany. Największe szanse są wówczas, gdy połączy się działania medycyny konwencjonalnej i naturalnej. Dzięki przyjęciu takiego wzorca postępowania rak będzie atakowany z różnych stron.

Wczesna diagnoza umożliwia wyleczenie

Gdy rak nie jest jeszcze w bardzo zaawansowanym stadium, medycyna akademicka dokonuje w pierwszym rzędzie usunięcia chirurgicznego. Dziś można to nieraz wykonać bez otwierania brzucha, wprowadzając przez cewkę moczową do pęcherza m.in. narzędzia elektryczne i laserowe służące do zniszczenia guza. Jeśli jednak guz zdążył już głęboko wrosnąć w ścianę pęcherza lub bardziej się rozprzestrzenił, może okazać się potrzebna częściowa albo całkowita resekcja organu. Wykonuje się potem zastępczy pęcherz, nadal umożliwiający kontrolowane wydalanie moczu.

Terapia według medycyny akademickiej

Medycyna naturalna popiera zasadniczo taką ingerencję chirurgiczną. Uważa jednak, że terapia nie powinna się kończyć na operacyjnej likwidacji guza, który z jej punktu widzenia jest tylko lokalnym objawem długoletniej choroby ogólnej, charakteryzującej się, mówiąc w uproszczeniu, zakłóceniami w procesach oddychania i przemiany materii w komórkach oraz osłabieniem sił obronnych organizmu.

Guz jest lokalnym objawem długoletniej choroby ogólnej

Dlatego też medycyna naturalna stara się ponownie doprowadzić do normy funkcjonowanie komórek i uaktywnić system odpornościowy, w czym upatruje zasadniczą przesłankę całkowitego wyleczenia. W ten sposób rak może zostać ostatecznie pokonany i nie nastąpią nawroty. Nie możemy tutaj dokładniej opisywać potrzebnych do tego działań, do dyspozycji czytelnika stoi obszerna literatura na ten temat. Między innymi chodzi o ogólne przestrojenie organizmu poprzez dietę, terapię z użyciem jemioły, enzymów, terapię grasiczą. Nie mniej ważna jest psychoterapia, ponieważ w chorobach nowotworowych czynniki psychiczne zawsze odgrywają pewną rolę.

Medycyna naturalna stara się unormować funkcjonowanie komórek

Jeśli mamy do czynienia z rozprzestrzenionym już rakiem pęcherza i przerzutami, operacja także może

Operacja może być wskazana

być wskazana jako element leczenia podstawowego, skutecznie wspieranego przez medycynę naturalną.

W takich przypadkach medycyna konwencjonalna stosuje również radioterapię (naświetlania), a przy dalekich przerzutach leki hamujące wzrost komórek (cytostatyki). Metodom tym towarzyszą jednak uciążliwe skutki uboczne, znacznie obniżające jakość życia. Warto więc, przynajmniej uzupełniająco, korzystać z możliwości, jakie daje medycyna naturalna.

Terapeuta stosujący metody naturalne powinien sumiennie rozważyć, czy leczenie naturalne, uzupełnione niezbędnymi środkami przeciwbólowymi, nie da w zasadzie tego samego skutku, polepszając zarazem wydatnie jakość życia na długi czas.

Naturalne metody leczenia mogą przynieść poprawę

Zresztą radioterapia i leczenie cytostatykami z perspektywy medycyny naturalnej są raczej podejrzane, ponieważ jeszcze bardziej ograniczają własne siły obronne organizmu. Naturalne metody lecznicze mogą nawet w pozornie beznadziejnej sytuacji przynieść długotrwałą poprawę, a niekiedy wyleczenie. W każdym razie decyzja o dalszym postępowaniu zawsze powinna być adekwatna do konkretnego, indywidualnego przypadku; naświetlań i farmaceutyków nie należy stosować rutynowo, co niestety, zdarza się nagminnie.

Jeszcze raz trzeba podkreślić:
Szanse całkowitego wyleczenia raka pęcherza są tym większe, im wcześniej pacjent zgłosi się na badania, nawet z błahymi, niepewnymi objawami; wtedy już we wczesnym stadium można wprowadzić terapię naturalną.

Raczej nie da się usprawiedliwić narażania chorych na skutki uboczne takiego leczenia, gdy łagodne metody terapii pozwalają osiągnąć podobne czy nawet lepsze rezultaty.

Gruczolak szyi pęcherza u mężczyzn

Ściśle rzecz ujmując, ten często spotykany gruczolak nie zalicza się do chorób pęcherza, gdyż bierze początek w sterczu. Jako, że jednak poważnie narusza funkcjonowanie pęcherza, przedstawimy go krótko w tej książce. Po obszerniejsze informacje odsyłamy do odpowiedniej literatury fachowej*.

W zasadzie nie zalicza się do chorób pęcherza

Występowanie i przyczyny

Gruczolak szyi pęcherza albo inaczej gruczolak prostaty, niesłusznie zwany przerostem prostaty, występuje wyłącznie u mężczyzn, gdyż kobiety nie mają gruczołu krokowego. Należy do typowych chorób starzejącego się mężczyzny i rozpoczyna się najczęściej po 50 roku życia. Szacuje się, że to schorzenie rozwija się u 50–60% mężczyzn po pięćdziesiątce, a u niemal 80% po osiemdziesiątce. W wielu przypadkach nie powoduje poważniejszych dolegliwości, u połowy chorych łagodne powiększenie gruczołu pozostaje niezauważalne.

Typowa choroba starzejącego się mężczyzny

Upraszczając, dochodzi do rozrostu fragmentów gruczołu mających pierwotne cechy żeńskie, obejmujących cewkę moczową bezpośrednio pod szyją pęcherza. Gruczolak nie wywodzi się więc z tkanki samego stercza, lecz z tej szczególnej strefy gruczołowej. Jej wybujały

Rozrost części gruczołów

* O gruczolaku i innych chorobach prostaty informuje obszernie książka Gerharda Leibolda *Prostata*.

rozrost powoduje stopniowe rozpychanie prostaty i w końcu obejmuje ona gruczolak już tylko jak niezbyt gruba łupina.

Możliwe przyczyny

Przyczyny tego patologicznego rozwoju nie są do końca wyjaśnione. Bierze się pod uwagę rozmaite czynniki. Ze wszystkich teorii najbardziej prawdopodobna jest następująca: z wiekiem organizm wytwarza mniej hormonów męskich (androgenów) i począwszy od połowy życia zmienia się proporcja androgenów do estrogenów (płciowych hormonów żeńskich, występujących także u mężczyzny) w takim stopniu, że pod ich wpływem zaczyna się wybujały wzrost „żeńskich" gruczołów. Bardzo możliwe też, że przyspiesza ten proces powszechne dziś nadmierne spożywanie tłuszczów, które mają wpływ na gospodarkę hormonalną.

Ale jak powiedziano, jest to teoria niedowiedziona, która jednak poniekąd wyjaśnia fenomen gruczolaka szyi pęcherza.

Stadia choroby

Przebieg kliniczny choroby dzieli się na trzy stadia. Może nastąpić długoletnie zatrzymanie choroby we wczesnym stadium, ale także stosunkowo szybkie przejście do stadium końcowego.

Stadium 1

Stadium 1 (podrażnienia i kompensacji) charakteryzuje częste, także odczuwalne w nocy, parcie na mocz. Strumień moczu jest słabszy i cieńszy, często wypływa dopiero po chwili oczekiwania i pod naciskiem mięśni brzucha. Można jednak w pełni opróżnić pęcherz. Gdy to stadium przeciąga się na całe lata, następuje przeciążenie tkanki mięśniowej pęcherza, pasma mięśni w ścianie organu ulegają pogrubieniu i sterczą do wewnątrz na kształt belek (pęcherz beleczkowaty). Długie siedzenie, zaparcie stolca, spożycie alkoholu mogą przejściowo pogorszyć stan pacjenta, zaś ruch i ciepło – ponownie poprawić.

Stadium 2

Stadium 2 (niewydolności) cechuje postępujące osłabienie ściany pęcherza, które prowadzi do niemożności całkowitego usunięcia moczu, stanowiącego dobre podłoże dla zarazków wywołujących zapalenie pęcherza, dróg moczowych czy nawet miedniczek nerkowych. Niemiłe parcie na pęcherz staje się coraz silniejsze, głównie w nocy, przy czym oddawane są tylko małe porcje moczu.

Stadium 3

Stadium końcowe 3 charakteryzuje się tym, że uryna w coraz większej ilości zatrzymuje się w pęcherzu, przez moczowody podchodzi do miedniczek nerkowych, czego następstwem jest uszkodzenie nerek, początki ich niewydolności, wzmagająca się mocznica. Mimo przepełnienia pęcherza oddawać można jedynie po małej porcji moczu. Subiektywnie dolegliwości wydają się niewielkie, gdyż pęcherz przystosowuje się do zmienionych warunków. Nie oznacza to jednak, że stadium 3 można lekceważyć; wprost przeciwnie, stan jest bardzo poważny i najczęściej wymaga leczenia chirurgicznego. Brak interwencji specjalisty grozi komplikacjami i śmiercią.

Przy podejrzeniu natychmiastowe badanie

Podejrzenie gruczolaka szyi pęcherza musi skłonić do szybkiej wizyty u lekarza. Badanie palpacyjne przez odbyt najczęściej pozwala niezawodnie zdiagnozować chorobę. Temu prostemu testowi powinni poddawać się systematycznie co roku mężczyźni mający 45 i więcej lat, gdyż przy okazji można rozpoznać wczesnego raka prostaty. Dalsze badania pozwolą m.in. stwierdzić, czy i jak bardzo nowotwór utrudnia oddawanie moczu i stosownie do tego ustalić terapię.

Groźba komplikacji

Komplikacje w stadium 1

Gruczolak szyi pęcherza może pozostawać długo w stadium 1 i nie wywoływać poważniejszych dolegliwości. Komplikacją w takim przypadku może być, po jakimś czasie, pęcherz beleczkowaty i narastające zaburzenia mikcji. Stadium 1 sprzyja także zakażeniom i tworzeniu się kamieni moczowych w pęcherzu.

Zaawansowany gruczolak zwiększa ryzyko zakażeń pęcherza, często rozprzestrzeniających się na nerki, ponieważ aż do nerek może podnosić się poziom moczu w moczowodach. Najgroźniejszą komplikacją jest narastająca niewydolność nerek, czemu towarzyszy mocznica; w końcu może dojść do śmiertelnej krańcowej niewydolności nerek. Inne częste powikłania to zakażenia cewki moczowej, powstanie uchyłków pęcherza, które mogą pękać, oraz krwawienia. W trakcie tej choroby nie można również wykluczyć pojawienia się raka prostaty.

Osłabienie czynności nerek i chroniczna mocznica

Wszystkich tych poważnych, nawet śmiertelnie niebezpiecznych powikłań można na ogół uniknąć, jeśli wcześnie rozpocznie się zachowawcze leczenie środkami naturalnymi, które spowolnią lub uniemożliwią dalszy rozrost gruczolaka. Jeśli na dłuższą metę się to nie uda, nie wolno w zaawansowanym stadium choroby zwlekać z operacją.

Powikłań można uniknąć

Leczenie gruczolaka

W stadium 1 i na początku stadium 2 wystarczy z reguły terapia z użyciem środków naturalnych. Celem leczenia jest: wzmocnienie mięśni pęcherza, przez co poprawi się oddawanie moczu; usunięcie groźby zakażeń, co osiąga się drogą dezynfekcji; hamowanie rozrostu gruczolaka, a nawet – jeśli to możliwe – zmniejszenie jego rozmiarów. W ten sposób wyraźnie i trwale zminimalizuje się objawy oraz usunie niebezpieczeństwo komplikacji.

Celem naturalnych środków leczniczych jest wzmocnienie mięśni pęcherza

Terapia musi być prowadzona fachowo i dostosowana do konkretnego przypadku. Jako sprawdzone można polecić *owoce palmy sabalowej*, dostępne w postaci gotowych lekarstw roślinnych lub homeopatycznych. Obok tego głównego środka zaleca się dodatkowe, przede wszystkim *pestki dyni* działające na gruczolak także obkurczająco, *korzeń marzanny* (*farbiarskiej*) – dezynfekujący, *korzeń wilżyny cienistej* – pobudzający wydalanie

Owoce palmy sabalowej

Pestki dyni

Korzeń marzanny

moczu, *nawłoć* – chroniącą nerki, *jeżówkę* (*Echinacea*) – wzmacniającą własne siły obronne organizmu przed infekcjami.

Nawłoć i *Echinacea*

Homeopatia również stosuje nawłoć, niekiedy też topolę oraz inne substancje czynne, dobierane indywidualnie. Większość gotowych lekarstw zawiera liczne składniki, uzupełniające się i wzajemnie wzmacniające swą skuteczność.

Na ogół można w ten sposób wystarczająco oddziaływać na obraz choroby przez długi czas, nierzadko do końca życia. Jednak nigdy się nie uda zlikwidować już istniejącego gruczolaka.

W zaawansowanym stadium 2, a tym bardziej w stadium 3 oraz w przypadku komplikacji, lekarstwa nie zdołają już wiele pomóc, toteż gruczolak należy usunąć chirurgicznie, zanim pojawią się choroby następcze. Pacjenci, także w podeszłym wieku, znoszą operację raczej dobrze. Jeśli jednak stan ogólny jest tak zły, że operować już się nie da, jedynym wyjściem jest wprowadzenie cewnika na stałe do pęcherza, by oddawanie moczu stało się w ogóle możliwe.

W zaawansowanym stadium – operacja

Cewnik na stałe

Inne choroby pęcherza moczowego

Do najczęstszych chorób pęcherza należy także chroniczna nerwica (chroniczna nadwrażliwość, chroniczne podrażnienie), spotykana przede wszystkim u kobiet. Występować mogą poza tym uchyłki pęcherza i kamienie. Te choroby często związane są z innymi dolegliwościami organu.

Chroniczna nerwica pęcherza u kobiet

Przewlekła nerwica to choroba stwarzająca mnóstwo problemów, na ogół trudno poddająca się leczeniu

Leczenie bardzo trudne

i w sposób szczególny uwarunkowana psychicznie. Zasadniczo występuje u kobiet w średnim i starszym wieku, często po przebytym zapaleniu bądź operacji pęcherza, miedniczek nerkowych czy nerek. Wyraźnie rzadziej zapadają na nią mężczyźni, i to raczej po pięćdziesiątce, czasem z nieznacznie powiększoną prostatą.

Rzadko występuje u mężczyzn

Przyczyn przewlekłej nerwicy często nie da się zadowalająco wyjaśnić. Dopatrywać się ich można, jak stwierdzono powyżej, w przebytych zapaleniach i operacjach układu moczopłciowego, a głównie w oddziaływaniu hormonów oraz w czynnikach psychonerwowych i częściowo w zaburzeniach życia seksualnego. Wszystko to można rozpatrywać i skutecznie leczyć, tylko biorąc pod uwagę konkretny przypadek. Szczególnie trudno rozpoznać i usunąć nieprawidłowości wynikające z funkcjonowania układu wegetatywnego oraz mające przyczyny w psychice.

Możliwe przyczyny

Objawy chronicznej nerwicy pęcherza są podobne jak przy zapaleniu, ale stan zapalny nie występuje. Nie można też wskazać innych zmian w organie, które tłumaczyłyby dolegliwości i obraz choroby. Na pierwszym miejscu wśród symptomów stoi nieprzyjemne, częste parcie na mocz, czemu towarzyszy jednak za każdym razem oddawanie tylko niewielkich ilości. Mikcje mogą być związane z pieczeniem i bólem, rzadziej z bólami skurczowymi; czasami w urynie spotyka się krew. Niekiedy dochodzi do niekontrolowanego wypływu drobnych ilości moczu przy kaszlu i śmiechu lub do wycieku kroplami już po oddaniu moczu. Pacjenci są zwykle lekko podnieceni, rozdrażnieni, zdenerwowani. Często dolegliwości nasilają się po spożyciu zimnego napoju, przemarznięciu, wzburzeniu emocjonalnym i stosunku seksualnym.

Nieprzyjemne, częste parcie na mocz

Pacjenci zwykle lekko podnieceni

Terapia jest trudna i wymaga dużo cierpliwości. Gdy wykluczy się przyczyny somatyczne, zazwyczaj zalecane jest podstawowe leczenie, prowadzone przez specjalistę, obejmujące relaksację z pozytywnym nastawianiem pacjenta do siebie samego. W razie potrzeby jako uzupełnienie stosuje się roślinne środki uspokajające (np. waleriana, chmiel zwyczajny, dziurawiec pospolity). Może to przynieść wyraźną poprawę.

Trudne leczenie

Farmakologicznie leczymy chorobę głównie gotowymi lekami roślinnymi, działającymi tonizująco (wzmacniająco) i odprężająco na mięśnie pęcherza i normalizującymi wydalanie moczu. Obok mącznicy lekarskiej, brzozy i wilżyny cienistej, zalecanych również przy somatycznym zapaleniu pęcherza, dobre okazują się *pestki dyni*, a przede wszystkim *glistnik jaskółcze ziele* (roślina trująca, więc dozowanie musi być ostrożne), działający rozkurczająco na mięśnie.

Gotowe leki roślinne

Pestki dyni i glistnik jaskółcze ziele

Dalej można zaordynować skrojone na miarę środki homeopatyczne, takie jak np. Cantharis D4–D6, Mandragora D3, Solidago D1–D3 czy wymienione przy omawianiu gruczolaka szyi pęcherza owoce palmy sabalowej D1–D2.

Środki homeopatyczne

Do leczenia fizykalnego wskazane są wspomniane już przy zapaleniu pęcherza okłady z kwiatów traw na okolicę pęcherza, 2–3 razy dziennie. Można je także stosować na dolną część pleców, wtedy będą działać na pęcherz pośrednio, poprzez system nerwowy. Najlepiej samodzielnie wypróbować, który okład jest skuteczniejszy. Uzupełniająco zaleca się co drugi dzień nasiadówkę (jak przy zapaleniu pęcherza moczowego); zaczyna się ją od temperatury wody 36 stopni, podwyższanej stopniowo w ciągu 10 minut do 38–39 stopni.

Okłady z kwiatów traw

Dalsze działania fizykalne to masaż tkanki łącznej podskórnej w dolnej części pleców, oddziałujący na pęcherz, hartujące kąpiele powietrzne, codzienna gimnastyka, pływanie i dużo ruchu na świeżym powietrzu celem ogólnego wzmocnienia organizmu i jego sprawności psychonerwowej.

Dalsze działania fizykalne

Gdy w danym przypadku przyczyny dolegliwości jednoznacznie tkwią w psychice, częściowo pomóc może prowadzona wyłącznie pod specjalistycznym nadzorem analiza psychoterapeutyczna i przezwyciężenie wypartych konfliktów oraz innych problemów życia duchowego.

Psychoterapia konfliktów wypartych

Dzięki całościowej terapii somatyczno-psychicznej chroniczną nerwicę pęcherza udaje się niemal zawsze przynajmniej złagodzić. Nie należy zbyt szybko rezygnować wobec utrzymujących się objawów. Dostatecznie

Dostatecznie długa terapia

długa terapia może uporać się z chorobami, które całe lata nie poddawały się leczeniu.

Uchyłki ściany pęcherza

Workowate wypukłości pęcherza

Mianem uchyłków określamy workowate uwypuklenia, spotykane m.in. w jelicie czy właśnie pęcherzu moczowym. Łączą się z wnętrzem pęcherza otworami różnej wielkości, więc wchodzi do nich mocz. Mają różne rozmiary: czasem jeden uchyłek może przyjąć więcej moczu niż sam pęcherz.

Powikłania w wyniku innej choroby

Uchyłki pęcherza częściowo są wrodzone, ale raczej rozwijają się dopiero w trakcie życia osobniczego jako komplikacje wynikłe z innych chorób. Te uwypuklenia ściany pęcherza powstają zwłaszcza wtedy, gdy w wyniku zaburzeń w oddawaniu moczu wykształca się pęcherz beleczkowaty, co zdarza się głównie przy gruczolaku pęcherza, przewlekłym zapaleniu prostaty, zwężeniu cewki moczowej czy zaburzeniach w funkcjonowaniu zwieraczy. Nadto mogą tworzyć się jako następstwo uszkodzeń, zranień czy ingerencji chirurgicznych w rejonie organu. Dotknięci schorzeniem pacjenci połowę życia mają już zwykle za sobą.

Podwójna mikcja to sygnał ostrzegawczy

Dokładna diagnoza uchyłków możliwa jest tylko z wykorzystaniem cystoskopu i prześwietlenia rentgenowskiego. Sygnałem wskazującym na ich istnienie może być *podwójna mikcja*: po oddaniu moczu ponownie następuje parcie, by mogła zostać wydalona reszta uryny, z uchyłka.

Komplikacje

Możliwe są komplikacje głównie w postaci zakażeń i kamieni w pęcherzu; w uchyłkach mogą tworzyć się też guzy.

Drenaż cewki moczowej

Zasadniczo uchyłki trzeba usuwać chirurgicznie. Ma to jednakże sens tylko wtedy, gdy usunięte zostaną zarazem przyczyny zaburzeń mikcji; w przeciwnym razie uchyłki odtworzą się w innym miejscu. Jeśli operacja jest niemożliwa, zaleca się drenaż cewki moczowej, aby zapewnić dostateczny odpływ uryny. Dodatkowo konieczne mogą okazać się płukania pęcherza celem zapobieżenia zapaleniom.

Kamienie w pęcherzu moczowym

Głównie u starszych mężczyzn

To schorzenie dotyka głównie starszych mężczyzn. W pęcherzu spotyka się pojedyncze lub liczniejsze kamienie, mogące przybierać rozmiary kurzego jaja.

Pierwotne kamienie pęcherza moczowego

Kamienie pierwotne, mające początek w pęcherzu, spotyka się rzadko. Zwykle powstają w sytuacji, gdy z powodu trudności w oddawaniu moczu (wywołanych najczęściej gruczolakiem szyi pęcherza lub uchyłkami) zatrzymuje się on w pęcherzu; wtedy jego stężenie nadmiernie wzrasta i wytrącają się konkrementy, stopniowo powiększające swe rozmiary.

Wtórne kamienie pęcherza moczowego

Częściej jednak zdarzają się *kamienie wtórne,* powstające w nerkach (patrz s. 96 i nast.) i wędrujące następnie przez moczowody do pęcherza, skąd nie zostają wypłukane i nie uchodzą przez cewkę moczową. Najpierw mogą być bardzo małe, ale z czasem odkłada się na nich coraz więcej złogów z moczu.

Sygnały ostrzegawcze

Znakiem wskazującym na obecność kamieni w pęcherzu jest zwykle częste parcie na mocz połączone z wydalaniem małych porcji, zawierających czasem krew, i bóle w okolicy pęcherza. Często chorobą towarzyszącą jest zapalenie pęcherza moczowego. Dokładne rozpoznanie schorzenia możliwe jest tylko z zastosowaniem cystoskopu i prześwietlenia promieniami rtg.

Jedyne skuteczne leczenie: chirurgiczne

Nie ma niezawodnej metody na wydalenie czy farmakologiczne rozpuszczenie małych kamieni. Skuteczna jest jedynie terapia chirurgiczna. Zazwyczaj udaje się wprowadzić przez cewkę moczową do pęcherza odpowiednie narzędzie i rozbić kamienie; tą samą drogą w sposób naturalny wydalane są potem ich resztki. W pojedynczych przypadkach nie można jednak uniknąć konieczności operacyjnego otwarcia pęcherza celem usunięcia konkrementów.

Choroby dróg moczowych

Schorzenia cewki moczowej i moczowodów często nie występują samodzielnie, lecz razem z chorobami pęcherza czy nerek. Zwykle spotyka się stan zapalny, ale nie są też rzadkością wady rozwojowe i zwężenia cewki moczowej.

Zapalenie moczowodów i cewki moczowej

Powstaje w wyniku zakażenia

Zapalenie moczowodu powstaje głównie na skutek przejścia infekcji z pęcherza albo z nerek, rzadziej przez przeniesienie zarazków z krwią lub limfą. Sygnałami ostrzegawczymi mogą być bóle i skurcze zaatakowanych moczowodów; ból promieniuje często na dolną część pleców. Te symptomy związane z moczowodami zazwyczaj jednak nikną wśród dolegliwości spowodowanych zapaleniem pęcherza czy nerek.

Tylko specjalista stawia diagnozę

Precyzyjną diagnozę zapalenia moczowodów postawić można tylko w wyniku badania specjalistycznego. Leczenie odbywa się podobnie jak w przypadku zapalenia pęcherza czy nerek. Jeśli dominującym objawem jest kolka, należy podejrzewać obecność uwięzionego w moczowodzie kamienia nerkowego.

Przyczyny

Zapalenie cewki moczowej następuje zwykle w wyniku zakażenia różnymi bakteriami, wirusami, grzybami i innymi drobnoustrojami. Coraz częściej w zachodnich społeczeństwach przemysłowych przenoszone jest ono drogą płciową; po części chodzi tu o chorobę weneryczną rzeżączkę (tryper), po części o infekcje niewywołane zarazkami rzeżączki. Nierzadko przeniesienie zarazków może nastąpić w trakcie zakładania cewnika, płukania pęcherza czy masturbacji z użyciem środków pomocniczych. Sprzyjać powstaniu stanu zapalnego lub go powodować może też cukier w moczu diabetyków, ostre przyprawy, kamienie nerkowe, środki antykoncepcyjne czy reakcje alergiczne. Zapalenie cewki niekiedy towarzyszy innym chorobom, np. śwince (nagminnemu zapaleniu przyusznic) lub grypie.

Ponieważ przyczyny choroby, od których rozpoznania zależy właściwa terapia, ustalić można dokładnie dopiero w badaniu specjalistycznym, nawet lekkie dolegliwości wymagają zwrócenia się do fachowca. Typowymi sygnałami ostrzegawczymi są pieczenie i swędzenie w cewce podczas mikcji, szklisto-śluzowata uryna i utrudnione oddawanie moczu.

Typowe sygnały ostrzegawcze

W prostszych przypadkach terapia jest podobna jak przy zapaleniu pęcherza (patrz s. 32 i nast.). Szczególnie dobre wyniki daje stosowanie środków roślinnych (głównym składnikiem jest liść mącznicy lekarskiej) oraz homeopatycznych: Cantharis D4, Lamium album D1–D2, Petroselinum D4. Jednak leczenie infekcji (zwłaszcza rzeżączki) może wymagać przyjmowania antybiotyków. Zasadniczo zakażenia przenoszone drogą płciową wymagają terapii obojga partnerów.

Sprawdzone środki roślinne i homeopatyczne

W uzupełnieniu zalecane są środki fizykalne, tj. opisane w zaleceniach przy zapaleniu pęcherza nasiadówki z rosnącą temperaturą kąpieli. Nie ma specjalnej diety, lecz trzeba aż do wyzdrowienia unikać ostrych przypraw, pokarmów peklowanych i wędzonych, alkoholu oraz kawy.

Nasiadówki z rosnąca temperaturą kąpieli

Dieta

Ponieważ często dochodzi do nawrotów, kuracja musi trwać wystarczająco długo, by zniszczyć wszystkie zarazki i uniknąć komplikacji w postaci chorób pęcherza czy organów rozrodczych.

Kuracja dostatecznie długa

Zniekształcenia moczowodów

Często zdarzają się wady rozwojowe i zniekształcenia wrodzone, rzadziej nabyte w wyniku innych chorób. Nie zawsze zostają zdiagnozowane w porę, gdyż zwykle nie powodują poważniejszych dolegliwości. Ewentualnym sygnałem ostrzegawczym są powracające lub chroniczne zapalenia organów moczowych, których nie da się trwale wyleczyć mimo intensywnych starań. Obecność albo brak

Częste występowanie

Sygnały ostrzegawcze

zniekształcenia wykaże wówczas badanie urologiczne.

Jest wiele wad rozwojowych moczowodu, których nie ma potrzeby szerzej tu opisywać, ponieważ tylko specjalista zdoła je rozpoznać. Między innymi moczowody mogą uchodzić z pominięciem pęcherza wprost do cewki moczowej, do szyjki macicy bądź do pochwy. Prowadzi to do przeróżnych zakłóceń w oddawaniu moczu, na przykład do ciągłego wyciekania kroplami lub zalegania. Zdarzają się rozdęcia i ślepe ujścia moczowodów.

Operacja tak szybko, jak to możliwe

Leczenie polega wyłącznie na przeprowadzeniu operacji. Dziś potrafimy skorygować prawie każdą wadę rozwojową czy zniekształcenie. Ingerencja chirurgiczna winna nastąpić tak wcześnie, jak to tylko możliwe, by nie dopuścić do poważnego uszkodzenia innych narządów układu.

Zwężenie cewki moczowej

Utrudnia oddawanie moczu

Zwężenie cewki moczowej może mieć różne rozmiary. Utrudnia oddawanie moczu. Typowy sygnał ostrzegawczy to wyraźnie cienki strumień i zaleganie moczu w pęcherzu po mikcji. W cięższych przypadkach może nastąpić zatrzymanie uryny, co grozi mocznicą. Ponieważ zatrzymany mocz jest dobrą pożywką dla mikroorganizmów chorobotwórczych, często dochodzi do zapalenia pęcherza i cewki moczowej.

Zwężenie cewki moczowej

Zwężenie cewki moczowej spowodowane bywa różnymi czynnikami, które trzeba w każdym przypadku dokładnie ustalić. Często cewka zwężona jest z powodu blizn pozostających po rozległym zapaleniu. Inne przyczyny to guzy, zakleszczone kamienie z pęcherza, ciała obce wprowadzone na przykład w trakcie igraszek miłosnych i niemożliwe do usunięcia.

Zależność terapii od przyczyn

Terapia zależy od ustalonych przyczyn. Kamienie i ciała obce trzeba usuwać chirurgicznie. W przypadku blizn cewkę rozszerzają specjalne sondy. Guzy leczy się w miarę możności operacyjnie.

Zakłócenia w oddawaniu moczu

Zakłócenia mikcji

Rozróżniamy dwa rodzaje *zakłóceń mikcji* (oddawania moczu): osłabione wydalanie aż do całkowitego zatrzymania, prowadzącego do niebezpiecznej dla życia mocznicy oraz nietrzymanie, gdy wypływu uryny nie można w pełni kontrolować. Do tej ostatniej kategorii należy nocne moczenie u dzieci.

Zatrzymanie moczu

Niemożność opróżnienia napełnionego pęcherza

Mianem zatrzymania moczu określa się niezdolność do opróżnienia pęcherza, gdy jest on już odpowiednio napełniony. Następuje wówczas bolesny wzrost ciśnienia w nadmiernie rozdętym organie jamnistym i zaleganie moczu w moczowodach aż do miedniczek nerkowych.

Utrudnienia w oddawaniu moczu mogą narastać powoli, wówczas zatrzymanie objawi się po nagle zwiększonym spożyciu płynów. Zatrzymanie może też jednak wywołać wiele innych czynników.

Konieczna natychmiastowa interwencja lekarska

Stan taki wymaga błyskawicznej interwencji lekarskiej, by zapobiec ciężkim powikłaniom (mocznicy, uszkodzeniu nerek). Natychmiastowa pomoc polega na wprowadzeniu cewnika przez cewkę moczową do pęcherza, co stwarza drogę dla wypływu uryny. W razie potrzeby, gdy nie da się użyć cewnika, dokonuje się punkcji pęcherza z zewnątrz przez ścianę jamy brzusznej. Dalsze leczenie zależne jest od przyczyn.

Przyczyny

Do najczęstszych przyczyn zatrzymania moczu należą: gruczolak szyi pęcherza, zapalenie i zwężenie cewki moczowej, guzy pęcherza i szyi pęcherza, zapalenie gruczołu krokowego – ale też picie zbyt zimnych napojów, co pośrednio może utrudniać mikcję. Do zatrzymania może dojść również po przebytych operacjach czy doznanych zranieniach i uszkodzeniach. Wreszcie źródłem omawianej dolegliwości bywa ucisk na korzeń nerwowy spowodowany wypadnięciem krążka międzykręgowego w części lędźwiowej kręgosłupa (zwykle konieczna jest wtedy operacja w ciągu najbliższych godzin, by nie dopuścić do trwałych utrudnień w oddawaniu moczu).

Nietrzymanie moczu – spotykane głównie u ludzi starszych

Niekontrolowany wypływ uryny

Częściej u kobiet

Przez nietrzymanie moczu (moczenie mimowolne) rozumie się jego mimowolny, niekontrolowany wypływ. To zakłócenie fizjologii dotyka częściej kobiety niż mężczyzn, pojawia się w każdej grupie wieku (nawet u młodych kobiet), ale głównie u ludzi starszych.

Często długo skrywane z fałszywego wstydu

Kierując się fałszywym wstydem, wielu długo skrywa ten problem, nawet przed lekarzem. Dolegliwość staje się ciężarem psychicznym; liczni chorzy skłonni są do samoizolacji towarzyskiej i społecznej, ponieważ obawiają się, że inni spostrzegą ich kłopoty. Istnieje jednak dosyć sposobów pomocy i metod leczenia, by umożliwić pacjentom normalne życie.

Dolegliwości towarzyszące

Atonii pęcherza towarzyszyć może częste parcie na mocz (także nocą) z równoczesnym oddawaniem tylko małych ilości, pieczenie i ból w trakcie mikcji, wyciekanie uryny kroplami po oddaniu moczu.

Przyczyny moczenia mimowolnego

Przyczyny często niejasne

Rozróżniamy różne odmiany moczenia mimowolnego, zależnie od przyczyn i przebiegu tej choroby. U 2/3 chorych nie można jednak dokładnie ustalić przyczyny, gdyż nie stwierdza się u nich schorzeń w układzie moczopłciowym. Dwie najważniejsze odmiany nietrzymania moczu to:

Nietrzymanie wysiłkowe

- *Wysiłkowe nietrzymanie moczu,* kiedy zawodzi normalny mechanizm zamykający wyjście z pęcherza;

często związane z opadnięciem przepony miednicy następującym po porodzie czy wskutek osłabienia tkanki łącznej, co z kolei uwarunkowane jest konstytucją ustrojową lub zmianami starczymi. Towarzyszy temu czasem wypadanie macicy i żylaki. Tę odmianę spotyka się najczęściej u kobiet w średnim i starszym wieku, które urodziły wiele dzieci. Częstotliwość wysiłkowego nietrzymania moczu wzrasta również u mężczyzn po pięćdziesiątce.
Dolegliwość charakteryzuje się tym, że zwieracze pęcherza nie są w stanie powstrzymać wypływu moczu w chwili wzrostu ciśnienia w rejonie brzucha. Taki wzrost zdarza się przy kaszlu, kichnięciu, śmiechu, parciu (np. przy oddawaniu stolca), podnoszeniu ciężarów. Do moczenia mimowolnego dochodzi też przy dotkliwym zmarznięciu. Niekontrolowanego oddania uryny nie poprzedza w tej odmianie parcie na mocz.

- *Nietrzymanie moczu połączone z parciem* polega na tym, że chory odczuwa parcie, ale wypływu nie może powstrzymać, gdyż zawodzi kontrola nad zwieraczem. Tę odmianę obserwuje się często przy stanach zapalnych i kamieniach w pęcherzu oraz chorobach układu nerwowego, głównie udarach mózgu, chorobie Parkinsona i stwardnieniu rozsianym. U ludzi starszych w $^{1}/_{10}$ przypadków przyczyną jest zwapnienie naczyń mózgowych (stwardnienia naczyń mózgu) i wynikłe stąd zaburzenia funkcjonowania systemu nerwowego.

Nietrzymanie z parciem

Rzadziej zdarza się *moczenie mimowolne odruchowe* i z *przepełnienia*. Odruchowe jest wówczas, gdy bez odczuwalnego parcia mocz w sposób niekontrolowany wypływa np. po lekkim poklepaniu brzucha czy w wyniku innego bodźca wywołującego odruch mikcji; są za to odpowiedzialne uszkodzenia rdzenia kręgowego. W *nietrzymaniu z przepełnienia* ciśnienie w pęcherzu jest tak silne, że nie mogą sprostać mu zwieracze i uryna wbrew woli człowieka wydostaje się na zewnątrz. Zasadniczo zdarza się to przy gruczolaku szyi pęcherza (prostaty), kiedy w pęcherzu zalega duża ilość moczu. Przejściowe

Nietrzymanie odruchowe

Nietrzymanie z przepełnienia

bądź trwałe nietrzymanie zdarza się również po uszkodzeniach i operacjach.

Jak sobie radzić z niekontrolowanym wypływem moczu

Gdy źródłem niezdolności utrzymania moczu są choroby, należy je oczywiście prawidłowo leczyć, by przywrócić kontrolę nad wydalaniem. Ale to, rzecz jasna, nie zawsze się udaje. Ponadto u $^{2}/_{3}$ pacjentów nie stwierdza się żadnych takich schorzeń, więc niemożliwe jest zastosowanie terapii likwidującej takie przyczyny niekontrolowanego wypływu moczu. Mimo to istnieją różnorodne metody, pozwalające trwale przynajmniej polepszyć stan chorego. Na pomoc liczyć można jednak tylko wtedy, gdy przezwycięży się fałszywy wstyd i szczerze porozmawia z leczącym, on bowiem musi dobrać indywidualną terapię do każdego pacjenta.

Fachowa terapia

Terapeuta winien przepisać kurację

Nie leczyć się na własną rękę

Tylko specjalista potrafi w konkretnym przypadku właściwie wykorzystać różne możliwości, jakie daje terapia moczenia mimowolnego. Odradza się próby samodzielnego leczenia; zwykle nie kończą się sukcesem, ale raczej niepotrzebnym nasileniem się dolegliwości.

Leki

Przeciw nietrzymaniu moczu niewiele da się zrobić farmakologicznie. Jeśli potrzebne są lekarstwa, to w pierwszym rzędzie działają one na choroby sprawcze, które czasem występują przy tej dolegliwości. W leczeniu zasadniczym wielokrotnie sprawdziły się środki roślinne i homeopatyczne, szczególnie te stosowane w zapaleniu pęcherza (patrz s. 33 i nast.).

Uzupełniająco można stosować środki fizykalne w postaci nasiadówek i kąpieli stóp ze wzrastającą temperaturą wody – jak przy zapaleniu pęcherza. Można spróbować jeszcze okładów z kwiatów traw na odcinek lędźwiowy kręgosłupa i naświetlania okolicy pęcherza falami krótkimi. Zupełnie powinno się zrezygnować z zabiegów z użyciem zimnej wody.

Nie stosować zimnej wody

Terapeuta ma ponadto do dyspozycji różne mechaniczne środki pomocnicze. Istnieją na przykład specjalne protezy wkładane do pochwy celem podniesienia dna pęcherza, jednak powodują poważne dolegliwości, więc stosuje się je tylko wyjątkowo i przejściowo.

Mechaniczne środki pomocnicze

Lepszym rozwiązaniem okazują się *elektrostymulatory*. Mogą być dopochwowe lub doodbytnicze. Stosowane są też elektrody przezskórne. Wysyłają słabe impulsy elektryczne do mięśni pęcherza i przepony miednicy, pobudzając je do pracy i powodując ich wzmocnienie. By widoczne były pierwsze wyraźne skutki, urządzenie to trzeba stosować przez co najmniej 3–4 tygodnie po 12 godzin dziennie. Optymalny efekt uzyskuje się po dopiero po 6–12 miesiącach leczenia. Elektrostymulatory nie działają w każdym przypadku moczenia mimowolnego, ale poddają się tej terapii najczęściej występujące formy nietrzymania wysiłkowego i połączonego z parciem.

Elektrostymulatory

W ostateczności, w trudnych przypadkach podejmuje się próbę ingerencji chirurgicznej, by przywrócić właściwą anatomię przepony miednicy i pęcherza. Jednak nie zawsze ten sposób przynosi zamierzony skutek, więc operować powinno się dopiero wtedy, gdy wszystkie inne zabiegi terapeutyczne okażą się daremne.

W ostateczności – operacja

Zwykłymi środkami pomocniczymi, nieleczniczymi, są wkładki wchłaniające i pieluchomajtki. Oczywiście, mogą przynieść znaczną (przede wszystkim psychiczną) ulgę choremu, który przestanie obawiać się, że niekontrolowane moczenie wyjdzie na jaw. Ale nie można zadowalać się wyłącznie ukrywaniem objawów, póki inne możliwości terapii nie zostaną wyczerpane.

Środki pomocnicze bez działania terapeutycznego

Gimnastyka pęcherza jako samopomoc

Gdy specjalistyczne leczenie nietrzymania moczu nie przyniesie zadowalających i trwałych rezultatów, raczej nie będzie innego wyjścia niż wkładki wchłaniające i pieluchomajtki. Na tym nie należy jednak poprzestawać, ponieważ pęcherz zwykle udaje się do pewnego stopnia wygimnastykować. Opisane tu sposoby treningu w każdym przypadku powinny być konsultowane z terapeutą.

Pić nie mniej niż zwykle

Złym środkiem zaradczym (choć niby najoczywistszym, zrozumiałym samo przez się) jest zmniejszenie objętości przyjmowanych płynów. Właśnie starsi ludzie muszą wystarczająco dużo pić, inaczej ich ciało „wyschnie" i mogą doznać nawet zaburzeń pracy mózgu (otępienia). Jeśli leczący wyjątkowo nie zaleci inaczej, należy koniecznie wypijać ok. 1,5 l płynów dziennie. Trzeba tylko rozdzielać tę ilość w ciągu dnia tak, by wieczorem nic już nie pić i tym samym uniknąć moczenia nocnego.

Opróżniać pęcherz regularnie

Mimo nietrzymania moczu możliwe jest w pewnym stopniu „wychowanie" pęcherza. Osiąga się to przez mikcje w regularnych odstępach czasu, niezależnie od odczuwanego parcia. W ten sposób przynajmniej w części uniknie się przepełniania pęcherza i niekontrolowanego wypływu.

Środki ostrożności

Gdy przewidujemy wyjście z domu, opróżniamy uprzednio pęcherz, obojętnie, czy rejestrujemy parcie na mocz, czy nie. Poza tym nie pijemy nic 3 godziny wcześniej. Te sposoby okazują się często niezawodne, lecz prewencyjnie należy zastosować też pieluchomajtki lub wkładki wchłaniające.

Ćwiczenia wzmacniające przeponę miednicy

Właściwy trening pęcherza polega na gimnastyce wzmacniającej przeponę miednicy. Gdy jest regularny, pozwala często uzyskać lepszą kontrolę nad wydalaniem, gdyż wzmocniona muskulatura przepony miednicy wspomaga zwieracze i objawy opadnięcia stają się mniej dotkliwe.

Ćwiczenia trzeba omówić z lekarzem. Najlepiej uczyć się ich pod kierunkiem instruktora gimnastyki leczniczej, gdyż popełnione błędy mogą przypadłość jeszcze pogorszyć. Nie należy oczekiwać rezultatów z dnia na dzień; wiele czasu upłynie, nim mięśnie wzmocnią się wystarczająco. Obok prawidłowego wykonywania ćwiczeń ważna jest przede wszystkim ich regularność, codziennie 2–3 razy. Tylko takie ciągłe obciążanie tkanki mięśniowej może przynieść pożądany skutek.

Ćwiczyć regularnie

Przytoczmy tu kilka najważniejszych elementów treningu pęcherza, sprawdzonych w praktyce. Obok tych specjalistycznych ćwiczeń do usprawnienia mięśni przyczynia się również ogólna gimnastyka całego ciała. Taki program ćwiczeń ogólnorozwojowych (przynajmniej 2 razy dziennie po 5–10 minut) najlepiej zestawić sobie na podstawie jakiegoś podręcznika wychowania fizycznego; można też zapisać się na gimnastykę grupową pod kierunkiem profesjonalisty.

Przykłady ćwiczeń

1. Rozpieramy się wygodnie w fotelu, wyciągamy nogi do przodu, odprężamy się całkowicie. W tej pozycji lekko unosimy siedzenie ściskając przy tym mocno pośladki; krótką chwilę wytrzymujemy, potem siadamy na fotelu i rozluźniamy mięśnie pośladków. Zaczynamy od 10–20 powtórzeń i dochodzimy stopniowo do 40.

2. To ćwiczenie jest możliwe dopiero po oddaniu stolca. Kucamy z rozstawionymi nogami – oba pośladki oddalają się od siebie. Teraz wprowadzamy do otworu odbytowego palec osłonięty pokrowcem z gumy lub plastyku. Początkowo wywołuje to odruchowe, krótkie zaciśnięcie zwieracza odbytu, któremu nie wolno gwałtownie przeciwdziałać, lecz ostrożnie kontynuować wsuwanie palca. Mięśnie odbytu szybko zwiotczeją. Wpychamy palec tak głęboko jak możemy, potem mocno na przemian zaciskamy mięśnie odbytu wokół palca i rozluźniamy; na początek powtarzamy to 20 razy, potem stopniowo zwiększamy liczbę powtórzeń do 40 na jedno ćwiczenie.

3. Ćwiczenie wykonujemy, gdy pęcherz jest umiarkowanie wypełniony i możemy opróżnić go zgodnie

z naszą wolą. Gdyby uryny w pęcherzu było zbyt wiele, ćwiczenie nie uda się dobrze albo nie uda się wcale, gdyż mocz może mimo woli wypłynąć i próby powstrzymania go wywołają niepotrzebny stres. Siadamy na muszli klozetowej i częściowo opróżniamy pęcherz, potem mocno naprężamy na krótko mięśnie odbytu, przepony miednicy i pęcherza, by przerwać wypływ moczu. Następnie rozluźniamy mięśnie – mocz wypływa, po czym znów przerywamy wypływ jak poprzednio. Zależnie od ilości uryny można to powtórzyć 2 do 4 razy, najlepiej przy każdej mikcji.

Już te trzy łatwe ćwiczenia pozwolą z czasem uzyskać lepszą kontrolę nad pęcherzem. Pod kierunkiem specjalisty można nauczyć się jeszcze innych; a wszystkie one przydają się też w przypadku nietrzymania stolca (co w podeszłym wieku jest również często spotykane).

Moczenie nocne u dzieci

Kontrolowanie wydalania moczu (i kału) nie jest umiejętnością wrodzoną. Człowiek musi dopiero nabyć ją w pierwszych latach życia. Z reguły pod koniec trzeciego roku dzieci są w stanie panować nad oddawaniem moczu za dnia, a najpóźniej w czwartym roku życia także w nocy. U 10% dzieci moczenie nocne występuje nadal i utrzymuje się nieraz aż do okresu dojrzewania płciowego, rzadziej do wieku dojrzałego. Zdarza się, że dziecko nauczy się kontrolować pęcherz, lecz po jakimś czasie nocne kłopoty powracają. Przypadłość dotyka głównie chłopców.

Występuje głównie u chłopców

Gdy moczenie nocne przedłuża się ponad zwykły okres, należy najpierw zbadać, czy istnieją jakieś przyczyny somatyczne. Wśród nich mogą być:

Możliwe przyczyny somatyczne

- uwarunkowane konstytucją organizmu zniekształcenia i wady rozwojowe układu urogenitalnego lub

zapalenia czy inne choroby pęcherza i dróg moczowych,
- opóźnione dojrzewanie układu nerwowego, dotkliwa neurastenia lub nocne ataki epilepsji,
- chorobliwie wzmożone wytwarzanie moczu w nocy, prowadzące do przepełnienia pęcherza,
- początki cukrzycy z nadmiernym pragnieniem, powodujące zwiększone spożycie płynów i tym samym wzrost parcia na mocz,
- sen zbyt płytki bądź zbyt głęboki.

Gdy stwierdzi się istnienie przyczyn somatycznych (niektóre z nich powodują moczenie nocne także u dorosłych), należy podjąć odpowiednie leczenie.

Nowe spojrzenie na przyczyny

Długo panował pogląd, że moczenie nocne u dzieci jest uwarunkowane przeważnie czynnikami psychonerwowymi. Obecnie nie kładzie się już wszystkiego na karb *psyche*. Także w dzieciństwie najczęstszymi przyczynami nietrzymania moczu są wymienione powyżej nieprawidłowości somatyczne. W przeszłości często nie dostrzegano tych nieraz drobnych wad i schorzeń. Dziś uchodziłoby za błąd w sztuce uznanie dziecka za chore nerwowo bez gruntownego zbadania całego organizmu.

Wpływ czynników psychonerwowych

By uniknąć nieporozumień, należy dodać, że przyczyny psychonerwowe odgrywają tutaj pewną rolę. Można przyjąć, że wraz z somatycznymi powodują nocne moczenie u dzieci, ponieważ zaburzenia psychosomatyczne dotykają szczególnie tych funkcji organizmu, które już uległy zakłóceniu.

Błędy we wdrażaniu do czystości

Często chodzi tu o błędy we wdrażaniu do czystości, dokonywanym zbyt wcześnie albo zbyt późno, nazbyt srogim czy za mało konsekwentnym. Ponadto w niektórych przypadkach na pojawienie się dolegliwości mogą mieć wpływ następujące okoliczności ze sfery *psyche*:

Czynniki psychiczne

- konflikty rodzinne, przede wszystkim zakłócone relacje między rodzicami, rodzicami a dziećmi, wśród rodzeństwa,
- niedostateczne zainteresowanie problemami dziecka, które nieświadomie chce skierować na siebie uwagę, mocząc się w nocy,

- różne stresy, m.in. szkolny, ciągłe stawianie dziecku nadmiernych wymagań, czego skutkiem może być nawrót moczenia po „suchym” okresie.

Poczucie winy i strach przed karą

Dochodzi do tego jeszcze fakt, iż wiele dzieci wstydzi się tej przypadłości, odczuwa poczucie winy i obawia się kary. Powiększa to stres i sprzyja moczeniu. Psychicznie uwarunkowane moczenie da się przezwyciężyć cierpliwością i empatią. Wykluczone są kary, drwiny i zawstydzanie przed innymi. Przede wszystkim trzeba dziecku zapewnić poczucie bezpieczeństwa i okazać wsparcie. Pomocne też mogą być następujące wskazówki:

Cierpliwość i empatia

Przedsięwzięcia wspomagające

- nic nie pić od późnego popołudnia, przed snem oddać mocz,
- ćwiczyć pęcherz w sposób podany w rozdziale o nietrzymaniu moczu; opóźniać mikcje w ciągu dnia, by wzmocniły się zwieracze, a organ zwiększył pojemność,
- chwalić za każdą noc, w której obyło się bez awarii; zachować opanowanie i spokój, gdy jednak się zdarzy.

Leki roślinne i homeopatyczne

Leki roślinne i homeopatyczne, zapisane konkretnemu pacjentowi przez specjalistę, przyniosą poprawę także w psychice dziecka. W przypadku wyraźnych zaburzeń w tej sferze pomoże tylko psychoterapia, do której należy w miarę potrzeby włączyć także innych domowników.

Choroby nerek

Nerki spełniają ważne funkcje w organizmie, dlatego każda ich dolegliwość to poważna choroba, bezwzględnie wymagająca podjęcia w porę leczenia specjalistycznego. Zaniedbanie grozi niebezpiecznymi dla życia komplikacjami, którym nawet nowoczesna medycyna z jej metodami intensywnej terapii nie zawsze może zapobiec. Liczne choroby zaczynają się od jakiegoś drobnego, zbywanego machnięciem ręki zapalenia pęcherza czy miedniczek nerkowych. W końcu chore nerki przestają funkcjonować i jeśli tylko pacjent wcześniej nie umrze z powodu ich krańcowej niewydolności, jedyną możliwą terapią będzie ciągła dializa bądź transplantacja.

Każda dolegliwość nerek to poważna choroba

Kategorycznie zakazane są próby samodzielnego leczenia takich chorób!

Gdy w następnych rozdziałach mowa będzie o działaniach terapeutycznych na własną rękę, rozumieć je należy tylko jako uzupełniające, możliwe do stosowania za zgodą specjalisty. Wprawdzie takie naturalne metody lecznicze często bardzo pomagają nawet w ciężkich i przewlekłych schorzeniach nerek, ale o właściwym ich zastosowaniu powinien decydować wyłącznie doświadczony terapeuta. Najlepsze rezultaty przynosi łączne stosowanie terapii naturalnej i klasycznej, dlatego w żadnym wypadku nie należy rezygnować ze specjalistycznego leczenia konwencjonalnego.

Autoterapia powinna być tylko uzupełnieniem leczenia

Metody diagnostyczne w chorobach nerek

Każdy sygnał ostrzegawczy skłania do wizyty u specjalisty

Istnieją różne sygnały ostrzegawcze, które nawet medycznemu laikowi dadzą informację, że być może ma chore nerki. Na ich podstawie nie da się jednak postawić pewnej diagnozy, będącej warunkiem skutecznej terapii. Te sygnały należy raczej traktować jak naglące wezwanie do odwiedzenia lekarza, który po przeprowadzeniu różnych badań (m.in. laboratoryjno-diagnostycznych, rentgenowskich) potrafi określić, czy pacjent rzeczywiście choruje i na co. Z wizytą nie należy zwlekać, co niestety dzieje się dość często, ponieważ człowiek zwykle ma nadzieję, że dolegliwości ustąpią same. Wprawdzie system obronny organizmu potrafi na ogół własnymi siłami uporać się nawet z chorobami nerek, ale w tak poważnej sprawie nie można zdawać się wyłącznie na ów system.

Nie opóźniać badania bez potrzeby

Możliwe oznaki choroby nerek

Poniższe symptomy mogą wskazywać na dysfunkcję układu wydalniczego. Są one po części wieloznaczne i mogą być wywołane przez przeróżne, niejednakowo groźne zachorowania, nieraz poza układem moczopłciowym. Pewność osiągnąć można tylko poprzez wykonanie właściwych badań, a dopiero trafne rozpoznanie pozwoli zaordynować stosowną terapię.

Typowe sygnały ostrzegawcze

Dokonując prowizorycznej, samodzielnej diagnozy wstępnej, trzeba zwrócić szczególną uwagę na następujące, częste i typowe sygnały ostrzegawcze:

- *symptomy ogólne* pojawiające się i przy innych chorobach wywołanych infekcją – głównie dreszcze, którym towarzyszy gorączka, bóle głowy, podobne do reumatycznych bóle kończyn, brak apetytu,
- *obrzmienia, głównie na twarzy* oraz w innych rejonach, gdyż chore nerki nie odfiltrowują z tkanek i nie wydalają dostatecznej ilości płynów,

- *nadciśnienie tętnicze*, wynik zwiększonego wydzielania pewnego hormonu przez niefunkcjonujące należycie nerki; w przypadkach chorób chronicznych nadciśnienie może być objawem dominującym (wzrost ciśnienia można dokładnie stwierdzić tylko dokonując pomiaru; podejrzenie nasuwają głównie zawroty głowy i szum w uszach),
- *tępy, utrzymujący się ból w okolicy nerek* (w krzyżu), do którego szybko można się przyzwyczaić; opukiwanie okolicy nerek również może powodować ból,
- silne, gwałtowne *bóle kolkowe w okolicy lędźwi*, niekiedy promieniujące na wewnętrzną stronę uda, to typowa oznaka kolki nerkowej,
- *częste parcie na mocz połączone z pieczeniem i bólem w trakcie mikcji*; uryna może mieć barwę ciemnorudą lub zawierać znaczne domieszki krwi; należy to uznać za ewentualny sygnał raka i natychmiast udać się do lekarza.

Oczywiście, nie wszystkie te symptomy występują równocześnie przy każdej chorobie nerek. Pojawienie się jednak nawet tylko jednego z nich uzasadnia podejrzenie schorzenia, które należy zweryfikować przez szczegółowe badania.

Już pojedyncze symptomy mogą wskazywać na chorobę nerek

Specjalistyczne badanie czynności nerek

Terapeuta dysponuje licznymi metodami, pozwalającymi dokładnie zdiagnozować nerki. Niektóre z nich mogą być stosowane tylko przez lekarza-specjalistę (urologa) lub w szpitalu. Nie ma tu potrzeby szczegółowego omawiania konkretnych badań. Zasadniczo grupuje się je następująco:

Próby czynnościowe

- *próby czynnościowe*, w których sprawdza się wydajność nerek w filtrowaniu i zagęszczaniu oraz kontroluje przepływ krwi; często badanie to wystarczy, by postawić prawidłową diagnozę, która czasem jednak wymaga potwierdzenia innymi metodami,

Badania promieniami rtg

- *badania rentgenowskie*, w których na podstawie zdjęć jamy brzusznej określa się rozmiary, położenie i kształt nerek, a za pomocą urografii z zastosowaniem środków cieniujących uzyskuje obraz jam w nerkach i dróg moczowych,

Diagnostyka metodami medycyny nuklearnej

- *diagnostyka z zastosowaniem medycyny nuklearnej* stosuje materiały radioaktywne wprowadzane do nerek; można dzięki temu otrzymać informację o przepływie krwi, sprawności czynnościowej nerek i ewentualnych guzach; do badań tego typu należy m.in. scyntygrafia, dająca bardzo dokładny obraz nerki za pomocą detektora promieniowania radioaktywnego,

Badania anatomiczno-histologiczne

- *badania anatomiczno-histologiczne* nerek polegają na pobieraniu próbek z tkanki nerek przez skórę lub na odsłanianiu nerki poprzez ingerencję chirurgiczną celem dokładnych oględzin; wskazane są tylko wtedy, gdy od ich wyniku zależy terapia i nie ma innego sposobu postawienia pewnej diagnozy.

W każdym przypadku trzeba określić, jakie badania są konieczne. Jeśli to możliwe, należy zadowolić się prostszymi metodami, które stanowią mniejsze ryzyko dla pacjenta. Oczywiście, nie zawsze one wystarczą.

Zapalenie miedniczek nerkowych

Najczęstsze schorzenie nerek

Odmiedniczkowe zapalenie nerek

Częściej u kobiet

Najczęstszym schorzeniem nerek jest zapalenie miedniczek nerkowych. Ponieważ jednak praktycznie nigdy nie ogranicza się ono tylko do miedniczek, lecz ogarnia też tkankę nerek, lepiej mówić nie o zapaleniu miedniczek (*pyelitis*), lecz o odmiedniczkowym zapaleniu nerek (*pyelonephritis*). W postaci ostrej bądź przewlekłej może ono dotknąć jedną albo obie nerki. U kobiet zdarza się dwukrotnie częściej niż u mężczyzn, a szczególnie w czasie ciąży. Bardzo rozpowszechnione jest wśród dzieci do 3. roku życia, przy czym dziewczynki zapadają na nie trzy razy częściej niż chłopcy.

Częste przyczyny choroby

W wielu wypadkach ostre zapalenie miedniczek poprzedzane jest ostrym zapaleniem pęcherza moczowego, które nie zostało skutecznie i w porę wyleczone. Zarazki (głównie bakterie: paciorkowce jelitowe, gronkowce) przedostają się z pęcherza przez moczowód (albo oba) do miedniczek nerkowych i wywołują zapalenie.

Często najpierw ostre zapalenie pęcherza moczowego

Czasem zakażenie następuje niezależnie od choroby pęcherza, poprzez krew lub limfę. Zdarza się to na skutek zapalenia woreczka żółciowego, wyrostka robaczkowego, jelita cienkiego, prostaty czy migdałków, skąd mikroorganizmy chorobotwórcze przeniesione zostają do miedniczki nerkowej.

Zakażenie przez krew lub limfę

Powstaniu stanu zapalnego w miedniczkach mogą sprzyjać różne okoliczności. Są to przede wszystkim, zależnie od przypadku:

Okoliczności sprzyjające powstaniu zapalenia

- czynniki mechaniczne prowadzące do zwężenia dróg moczowych i zalegania uryny aż po miedniczki nerkowe; przede wszystkim zakleszczone kamienie, guzy, gruczolak szyi pęcherza (prostaty),
- zniekształcenia w obszarze dróg moczowych, wrodzone bądź nabyte; wypływający mocz kierowany jest niewłaściwie do miedniczki nerkowej,
- kamienie nerkowe w miedniczce, powodujące ciągłe drażnienie,
- zaburzenia metabolizmu, głównie cukrzyca i dna, gdyż podwyższają podatność miedniczek na zapalenie,
- zaburzenia czynnościowe, przede wszystkim występujące w czasie ciąży i w porażeniu poprzecznym,
- przewlekłe osłabienie perystaltyki jelit w nieznany jeszcze sposób zwiększające ryzyko odmiedniczkowego zapalenia nerek,

- u niemowląt i małych dzieci zapadaniu na odmiedniczkowe zapalenie nerek sprzyjają zakażenia spowodowane ubrudzeniem kałem, bowiem w okresie noszenia pieluch zarazki z kału łatwiej przedostają się do miedniczek nerkowych przez drogi moczowe.

By wyleczyć odmiedniczkowe zapalenie nerek, koniecznie trzeba usunąć również te wymienione czynniki. Inaczej może dojść do chronicznej lub stale nawracającej choroby, uszkadzającej całą tkankę organu.

Objawy, przebieg i komplikacje

Konieczność badań laboratoryjnych

Dokładne rozpoznanie zapalenia miedniczek nerkowych wymaga różnych badań laboratoryjnych, w których przede wszystkim bada się mocz na obecność zarazków, krwi, białka i innych składników, a także w różny sposób kontroluje krew. Jako uzupełnienie w poszczególnych przypadkach celem potwierdzenia diagnozy wykonuje się prześwietlenie rentgenowskie, wziernikowanie pęcherza czy badanie czynnościowe nerek. Na podstawie samych tylko podanych przez pacjenta objawów sformułować można zaledwie wstępne podejrzenie, nie zaś pewne orzeczenie.

Ostre odmiedniczkowe zapalenie nerek zaczyna się dreszczami i gorączką

Parcie na mocz często bolesne

Ostre odmiedniczkowe zapalenie nerek zaczyna się często dreszczami, po których pojawia się gorączka. Dochodzą do tego jedno- bądź dwustronne bóle w krzyżu, promieniujące wzdłuż moczowodów do okolicy łonowej. Ból odczuwany jest również podczas lekkiego opukiwania okolicy nerek. Parcie na mocz jest zwykle bolesne i zmusza do częstych mikcji, którym towarzyszy pieczenie. Uryna jest mętna i może zawierać dostrzegalne domieszki krwi. Jako symptomy ogólne występują poza tym: nieokreślone złe samopoczucie i wrażenie rozbicia, wyczerpanie, pragnienie, czasem także nudności i wymioty.

Gdy diagnoza postawiona jest w porę, a leczenie konsekwentne, ostre zapalenie miedniczek nerkowych przebiega na ogół łagodnie, jest w pełni wyleczalne i nie pozostawia trwałych śladów. Ma jednak skłonność do nawrotów, szczególnie w przypadkach, gdy terapia zaczęła się zbyt późno lub nie trwała dostatecznie długo. Wtedy choroba może przejść w stadium chroniczne, powodując poważne uszkodzenia nerek.

Przebieg zwykle łagodny

Możliwe nawroty

Przewlekłe odmiedniczkowe zapalenie nerek, wynikłe z niezupełnie wyleczonego zapalenia ostrego, często przebiega niemal lub całkowicie bezobjawowo. A ponieważ nie niesie ze sobą żadnych zwracających uwagi dolegliwości, nieraz bywa lekceważone, nieleczone i zaniedbywane, aż dochodzi do uszkodzenia nerek. Ewentualnymi nieswoistymi sygnałami ostrzegawczymi mogą tu być: ogólne złe samopoczucie i znużenie, a także bóle głowy i brak apetytu, rzadziej wzmożone parcie na mocz, bladość i silne pragnienie. Podwyższoną temperaturę ma ok. 25% pacjentów; z reguły jest to stan podgorączkowy 37,5–38 stopni.

Chroniczne odmiedniczkowe zapalenie nerek często przebiega niemal bezobjawowo

Nieswoiste sygnały ostrzegawcze

Zapalenie miedniczek nerkowych o przebiegu chronicznym można jeszcze całkowicie wyleczyć. Choroba jest jednak wysoce niebezpieczna, gdyż uszkadza nerki i może prowadzić do groźnego osłabienia sprawności narządu, a w końcu do niewydolności.

Poważne niebezpieczeństwo

Leczenie zapalenia miedniczek nerkowych

Szybkie i całkowite wyleczenie zapalenia miedniczek nerkowych wymaga właściwej terapii, prowadzonej wyłącznie przez specjalistę, dostosowanej do konkretnego przypadku. Podstawową przesłanką jest usunięcie wszystkich czynników sprzyjających nawrotom i przewlekłemu przebiegowi choroby. Najpierw trzeba zlikwidować wszelkie mechaniczne czynniki dysfunkcjonalne, kamienie nerkowe i zniekształcenia, co czasem możliwe jest tylko chirurgicznie. Należy też uporać się z zaburzoną przemianą materii i chronicznym osłabieniem perystaltyki jelit. Dopiero po tych podstawowych

Właściwa terapia prowadzona przez specjalistę

działaniach leczenie samego zapalenia może być w pełni efektywne.

Antybiotyki

Medycyna konwencjonalna rutynowo stosuje w odmiedniczkowym zapaleniu nerek antybiotyki, których skuteczność częściowo testuje się przedtem na kulturach wyhodowanych z moczu celem uzyskania pewności, że zarazki nie są na nie odporne. Leczący musi orzec w każdym przypadku, czy tego rodzaju środki są rzeczywiście niezbędne. Zwolennik medycyny naturalnej także raczej nie zrezygnuje z antybiotyków, jeśli ich użycie uzna za konieczne. Szczególnie skuteczne okazało się podawanie przez krótki czas dużych, uderzeniowych dawek antybiotyków oraz jednocześnie innych, lepiej tolerowanych, w mniejszych dozach przez dłuższy okres.

Środki homeopatyczne

Jednak nie zawsze antybiotyki, mające przecież działanie uboczne, są konieczne. Za pomocą medycyny naturalnej doświadczony terapeuta osiągnie bardzo dobre rezultaty, dobierając indywidualnie do każdego przypadku środki homeopatyczne (oszczędźmy sobie jednak tutaj ich wymieniania). Mogą one też służyć w długotrwałej terapii jako uzupełnienie antybiotyków.

Leki roślinne

By dobrze przemyć miedniczki nerkowe, zdezynfekować mocz i wypłukać zarazki, można z zadowalającym skutkiem zastosować leki roślinne wymienione przy opisywaniu zapalenia pęcherza, szczególnie liść mącznicy lekarskiej oraz ochraniającą nerki, przeciwzapalnie działającą nawłoć. Przy tak ciężkiej chorobie same jednak lekarstwa roślinne nie wystarczą i choć szczególnie nawłoć jest często skuteczna w chronicznych chorobach nerek, byłoby lekkomyślnością ograniczać się tylko do fitoterapii.

Leczenie fizykalne

W leczeniu fizykalnym w grę wchodzą zasadniczo nasiadówki z rosnącą temperaturą wody, jak przy zapaleniu pęcherza. Gdy jednak temperatura ciała jest wyraźnie podwyższona, takie kąpiele są w zasadzie niedozwolone, gdyż dodatkowo, obok gorączki, obciążają układ wieńcowy. Dla obniżenia temperatury

Chłodne okłady na łydki

można jedynie stosować 3–4 razy dziennie *chłodne okłady na łydki*:

- Płótno odpowiedniej wielkości zanurza się w zimnej wodzie, wyżyma i owija wokół podudzia, tak by sięgało od kostki do dołu podkolanowego. Na to nakłada się nieco większe suche płótno, a na sam wierzch jeszcze jedno suche, znów trochę większe. Nie stosuje się tu chustki wełnianej jako zewnętrznej osłony, gdyż utrudniałaby oziębianie, które jest celem zabiegu. Okład zdejmuje się już po 1 godzinie (nie po 1,5 godziny jak w innych zabiegach); ma on bowiem odprowadzić ciepło, a nie prowadzić do przegrzania. Nie wolno obniżać w ten sposób ciepłoty ciała poniżej 38 stopni, gdyż gorączka to przecież naturalne, zasadniczo pożyteczne zjawisko, będące przejawem obrony organizmu.

„Ciepłe łoże"

Gdy nasiadówki z rosnącą temperaturą wody są zbyt męczące i chory źle je znosi, można zastosować w ramach terapii fizykalnej *ciepłe podkłady* 1–2 razy dziennie (byle nie przy wyższej gorączce):

- Położyć na łóżku dość duży koc wełniany, na nim nieco mniejsze suche płótno, a na wierzch wilgotne, zanurzone uprzednio w ciepłej wodzie i lekko wyżęte, 2–4 razy złożone tak, by szerokością odpowiadało mniej więcej szerokości pleców pacjenta, a sięgało od ramion do kolan. Chory kładzie się na nim na wznak, owija leżącym pod spodem suchym płótnem i kocem, a z wierzchu przykrywa zwykłą pierzyną. Zabieg trwa ok. 1,5 godziny. Na czynność nerek oddziałuje łagodniej niż wspomniane nasiadówki.

Ponieważ metody fizykalne nie przez wszystkich znoszone są dobrze, należy stale konsultować je z leczącym. Gdy podczas zabiegu chory poczuje się źle i zacznie odczuwać zawroty głowy, powinien natychmiast go przerwać i odpocząć w łóżku, aż odczuje poprawę.

Dieta w celu odciążenia nerek

Zapalenie miedniczek powinno skłonić wreszcie do wprowadzenia diety, umożliwiającej odciążenie tego organu oraz pobudzającej siły obronne i zdolność samoleczenia w wyniku ogólnego przestrojenia organizmu.

Głodówka

Jeżeli terapeuta nie zaleci inaczej, zaczyna się od 2–3 dni ścisłego postu albo 4–5 dni, w których spożywa się tylko surówki i pije soki. Potem, aż do zupełnego wyleczenia zapalenia miedniczek, utrzymuje się dietę wyłącznie jarską, ubogą w sól i przyprawy, w 50–70% złożoną z surówek. Lekarz może w konkretnym przypadku zalecić także inną dietę.

Ostre zapalenie nerek

Zapalenie kłębuszkowe nerek

Choroba atakuje najpierw ciałka nerkowe (kłębuszki) w korze nerkowej, potem również inne fragmenty tkanki tego organu. Określa się ją mianem zapalenia nerek, a poprawniej *zapalenia kłębuszkowego nerek*. Nie istnieje jednolity obraz tego schorzenia, mamy raczej do czynienia z procesami zapalnymi różnego pochodzenia i dającymi różne objawy.

Formy ostrego zapalenia nerek

Dotychczas nie ma powszechnie przyjętego podziału ostrego zapalenia kłębuszkowego nerek na kategorie w zależności od etiologii i symptomatyki choroby. Zasadnicze parametry klasyfikacji to przebieg kliniczny i obraz mikroskopowy ciałek nerkowych. Rozróżnia się więc następujące formy tego schorzenia:

Różnorodne formy choroby

- *ostre rozlane zapalenie kłębuszkowe nerek*, występuje często po zakażeniu bakteriami ropotwórczymi (paciorkowcami), także przy innych chorobach infekcyjnych,
- *nadostre (podostre) zapalenie nerek*, gwałtownie postępujące i dlatego uważane za szczególnie złośliwe,

powstaje po zakażeniu paciorkowcami, lecz także i z innych, niejasnych przyczyn,
- *utajone zapalenie nerek*, „ukryte" stadium choroby, niemal bez objawów, po latach pozornego zdrowia może przejść w zapalenie chroniczne, a w końcu w niewydolność, czemu zapobiec mogą regularne badania kontrolne i w razie potrzeby szybka terapia; do zapalenia utajonego dochodzi często po ostrym.

Oprócz tego jest jeszcze kilka rzadkich odmian, których nie trzeba tu opisywać. W każdym razie dokładnego rozpoznania tych różnorakich form schorzenia potrafi dokonać tylko specjalista.

Przyczyny i obraz choroby

Różne przyczyny

Ostre zapalenie kłębuszkowe nerek powstaje z różnych przyczyn i przebiega z niejednakowymi objawami. Zależy to od tego, z jaką formą choroby mamy do czynienia.

Ostre rozlane zapalenie kłębuszkowe nerek często rozpoczyna się 6–25 dni od zakażenia ropotwórczymi streptokokami, szczególnie po bakteryjnym zapaleniu migdałków, gardła, uszu, ropniach korzeni zębowych czy szkarlatynie. U dorosłych zazwyczaj nie da się dokładnie wskazać przyczyny; można wówczas podejrzewać chorobę układu immunologicznego, zwłaszcza gdy w organizmie oprócz skierowanych przeciw zarazkom pożytecznych przeciwciał powstają substancje atakujące tkankę własną nerek.

Niewyraźne objawy ogólne

Na początku choroby pojawiają się niewyraźne objawy ogólne, jak bóle głowy, zmęczenie i gorączka, którą mogą poprzedzać dreszcze. Dochodzą do tego jeszcze tępe bóle w okolicy nerek, obrzmienia, głównie twarzy (powiek), mocz żółtobrązowy do ciemnorudego, co spowodowane jest przenikaniem doń czerwonych krwinek, oraz prawie zawsze nadciśnienie tętnicze. Inne symptomy, jak np. białko w moczu, podwyższone OB i zakłócenia przepływu krwi w nerkach, może stwierdzić tylko lekarz.

Długotrwałe leczenie

Leczenie choroby trwa nieraz miesiącami, nawet gdy objawy ustąpią wcześniej. 90% chorych dzieci i 60–70% dorosłych wraca do zdrowia, jednak uszkodzenia nerek mogą pozostać. W pozostałych przypadkach, po kilkuletnim okresie utajenia albo już w kolejnych tygodniach czy miesiącach może objawić się chroniczne zapalenie nerek, a w końcu niewydolność.

Obok wspomnianych wyżej zakażeń z udziałem streptokoków także inne choroby infekcyjne mogą skutkować ostrym rozlanym zapaleniem kłębuszkowym nerek, z podobnym przebiegiem. Są to m.in. zapalenie wsierdzia, dur plamisty, czerwonka, tyfus, cholera, malaria, błonica, odra.

Złośliwe zapalenie nerek

Nadostre złośliwe zapalenie nerek zaczyna się czasem 8–14 dni po zakażeniu paciorkowcami i uważane jest za szczególnie ciężką postać rozlanego ostrego zapalenia kłębuszkowego. Często nie można wskazać żadnych uprzednich chorób jako przyczyn, powód zachorowania pozostaje niejasny (być może jest nim także autoagresja immunologiczna).

Zaczyna się bardzo złym samopoczuciem

Ta forma schorzenia rozpoczyna się bardzo złym samopoczuciem, silnymi bólami głowy, dotkliwym bólem w okolicy nerek, wyraźnymi obrzmieniami, głównie twarzy, a zwykle także wysokim ciśnieniem tętniczym. W urynie wyraźnie widoczna jest krew, laboratoryjnie stwierdza się znaczną obecność białka. Rokowania są niepomyślne lub wprost złe. Choroba przebiega bardzo szybko i już po kilku tygodniach może dojść do osłabienia czynności nerek, co kończy się wkrótce zagrażającą życiu mocznicą. Zazwyczaj, by ratować chorego, wcześnie rozpoczyna się dializowanie (przemywanie krwi).

Po kilku tygodniach możliwe osłabienie czynności nerek

W *stadium utajonym* pacjent praktycznie nie odczuwa żadnych objawów wciąż trwającej, ale „drzemiącej" choroby. Można ją wykryć laboratoryjnie, stwierdzając obecność krwi i białka w moczu. Często wzrasta ciśnienie tętnicze. Zachodzi wówczas obawa, że po latach dojdzie z dużym prawdopodobieństwem do niewydolności nerek.

Ewentualne choroby następcze

Niewydolność nerek

Najgroźniejszą komplikacją, będącą następstwem ostrego zapalenia nerek jest przejście w stadium przewlekłe z postępującym osłabieniem czynności nerek, które kończy się prowadzącą do śmierci niewydolnością. Temu często udaje się przeciwdziałać poprzez podjętą w porę i dostatecznie długą kurację. Dzięki późniejszym regularnym kontrolom można rozpoznać i leczyć istniejącą mimo pozornie całkowitego wyzdrowienia niewydolność nerek. Gdy nerki nie spełniają swej funkcji, jedynym ratunkiem dla pacjenta staje się regularne dializowanie - chyba, że możliwy jest przeszczep. Te poważne następstwa choroby zostaną dokładnie opisane później.

Jedynie dializa może pomóc

Wzrost ciśnienia tętniczego

Kolejne często spotykane powikłania dotyczą układu wieńcowego. Ciśnienie tętnicze rośnie zwykle do wartości 150–175/110–115 mm Hg lub bardziej, jeśli już wcześniej było podwyższone. Z tego powodu przeciążone jest serce, u połowy chorych następuje jego osłabienie. W licznych przypadkach mamy do czynienia z zapaścią krążenia. W typowym przebiegu częstotliwość tętna maleje poniżej 60 uderzeń na minutę, lecz możliwe jest również przyspieszenie pulsu do ponad 80 uderzeń na minutę. Tę ostatnią komplikację trzeba ocenić jako szczególnie groźną. Czasami dochodzi też do zakłóceń rytmu serca.

Osłabienie serca

Przyspieszone tętno

Zaburzenia w organach oddychania

Z nadmiernym obciążeniem serca wiążą się często zaburzenia w funkcjonowaniu układu oddechowego. Prowadzą one do duszności o różnym nasileniu, rzadziej do obrzęku płuc (wtedy w płucach znajduje się płyn).

Bóle głowy

Występujące na ogół silne bóle głowy mogą wskazywać na obrzęk mózgu. Szczególnie niepokojące stają się, gdy towarzyszą im nudności, wymioty i zaburzenia świadomości, co już jest wyraźnym objawem obrzęku.

Niedokrwistość

Niedokrwistość to kolejne możliwe powikłanie ostrego zapalenia nerek. Symptomem jest tu bladość twarzy.

Dokładna diagnoza możliwa jest tylko po wykonaniu badań laboratoryjnych.

Kwasica

Wreszcie w przebiegu ostrego zapalenia nerek może dojść do kwasicy. Wówczas odczyn krwi staje się kwaśny, następuje więc ogólne przekwaszenie. Jest to stan niebezpieczny, gdyż większość reakcji biochemicznych w naszym ciele przebiega prawidłowo tylko w środowisku o stałej w przybliżeniu wartości pH. Ta komplikacja objawia się głównie przyspieszonym oddechem, ponieważ przekwaszenie powoduje podrażnienie ośrodka oddechowego. Przy najmniejszym nawet podejrzeniu kwasicy konieczna jest natychmiastowa specjalistyczna pomoc.

Nieuniknione komplikacje

Nie ma niezawodnego sposobu uchronienia się od powikłań przy ostrym zapaleniu nerek. Ryzyko zmniejsza się jednak wyraźnie, gdy szybko rozpoczęte leczenie trwa jeszcze przez pewien czas po wygaśnięciu objawów.

Leczenie ostrego zapalenia nerek

Żadnego leczenia na własną rękę!

Oczywiście przy tak poważnej chorobie, jaką jest ostre zapalenie nerek, wyklucza się jakiekolwiek próby samoleczenia. Poniższe informacje o terapii są więc tylko opisem dla ciekawych, w żadnym razie zaś nie stanowią instrukcji odzyskiwania zdrowia na własną rękę. Wprawdzie niektóre naturalne metody leczenia mogą być stosowane samodzielnie, ale tylko zgodnie z zaleceniami terapeuty. Ciężki przebieg choroby nierzadko wymaga nawet pobytu w szpitalu.

Konieczne leżenie w łóżku

W początkowym okresie ostrego zapalenia kłębuszkowego nerek niezbędne jest leżenie w łóżku, aż nastąpi wyraźna poprawa i spadnie gorączka. Także później wymagany jest spokój i odpoczynek, trzeba unikać wszelkiego wysiłku fizycznego. Po ustaniu ostrych symptomów należy powoli przyzwyczajać się ponownie do normalnego codziennego wysiłku i poprzez umiarkowany, ale regularny trening stopniowo poprawiać sprawność fizyczną – a wszystko według wskazań specjalisty.

Długa dieta

By odciążyć nerki, trzeba przez dłuższy czas zachować dietę, ułożoną indywidualnie, zależnie od przebiegu choroby. Początkowe dni to często głodówka, kiedy – wobec dolegliwości nerek – można przyjmować tylko ściśle określoną ilość płynów (zazwyczaj w trakcie głodówki pije się sporo). Po 3–5 dniach przechodzi się zwykle na kurację sokową i surówkową, możliwa jest też dieta jabłkowo-ryżowa, jeśli tak zaleci lekarz.

Co najmniej przez trzy następne tygodnie żywienie musi być ubogie w tłuszcz, białko, przyprawy i sól. Trzeba zrezygnować z alkoholu i mleka. Najlepiej utrzymywać bogatą w surówki pełnowartościową dietę bezmięsną aż do pełnego wyzdrowienia, co orzeknie terapeuta.

Wyjątek

Wyjątkowo, jeśli z moczem wydala się szczególnie wiele białka, należy je uzupełniać. Wówczas, za zgodą leczącego, należy spożywać owoce strączkowe, twaróg, chudy ser, potrawy z jaj i ryb, a od czasu do czasu nieco chudego mięsa.

Antybiotyki

Ostre zapalenie kłębuszkowe nerek medycyna akademicka leczy z reguły farmakologicznie antybiotykami zwalczającymi zakażenia bakteryjne. Mimo możliwości pojawienia się poważnych skutków ubocznych tych leków także medycyna naturalna często stosuje je na początku kuracji, ale zwykle uzupełnia indywidualnie dobranymi środkami homeopatycznymi. Wśród nich są Solidago (nawłoć) D1–D2 jako składnik główny, poza tym np. Cantharis D4, Ipecacuanha D4, Kalium sulfuricum D3–D12 albo Phosphorus D4, które uaktywniają mechanizmy regulacji i samoleczenia.

Środki homeopatyczne

Środki roślinne

Ponadto jako lekarstwa wspomagające mogą być stosowane środki roślinne: liść brzozy, połonicznik nagi i znów nawłoć w gotowych preparatach. Pobudzają one wydalanie moczu i przyspieszają zwalczanie stanu zapalnego. Nawłoć – w lekach homeopatycznych i niehomeopatycznych – odznacza się dużą zdolnością chronienia nerek.

Medycyna naturalna nie zaleca kortykosteroidów

Medycyna naturalna nie poleca zasadniczo kortykosteroidów, w wielu wypadkach uważanych przez medycynę konwencjonalną za konieczne. Z punktu widzenia medycyny naturalnej przeciwko nim przemawiają nie tylko poważne skutki uboczne, lecz także to, że stają na przeszkodzie pełnej skuteczności leczenia metodami biologicznymi (w tym głównie homeopatycznymi).

Należy się zdecydować, czy leczyć metodami czysto konwencjonalnymi, z wykorzystaniem kortykosteroidów, czy naturalnymi (w miarę potrzeby uzupełnionymi o antybiotyki). Ten problem może odpowiedzialnie rozstrzygnąć tylko terapeuta.

Okłady na lędźwie, poduszka elektryczna lub termofor

Zabiegi fizykalne nadają się do stosowania w ostrym zapaleniu nerek jedynie warunkowo i tylko za zgodą terapeuty. W niektórych przypadkach dobre skutki przynosi okład na lędźwie, więc warto go polecić. Oto przepis:

- Chustę wełnianą odpowiedniej wielkości położyć na łóżku. Na nią nieco mniejszy kawałek suchego płótna, na wierzch jeszcze mniejszy, zanurzony uprzednio w ciepłej wodzie i lekko wyżęty. Pacjent kładzie się na płótnie tak, by okład sięgał od łuku żebrowego do połowy uda, kolejno owija płótna i chustę wokół siebie. Zabieg trwa około 1,5 godziny, można go przeprowadzać 1–2 razy dziennie. Po zabiegu zalecany jest co najmniej półgodzinny odpoczynek w łóżku.

Zamiast okładu na lędźwie kilka razy dziennie na ok. 1 godzinę można przyłożyć na okolicę nerek poduszkę elektryczną bądź ciepły termofor. Leczący czasami może także przeprowadzić inny zabieg – diatermię nerek, naświetlając je falami krótkimi. Ciepło pobudza wydalanie moczu i może ograniczyć wydalanie białka wraz z uryną.

Należy raz jeszcze podkreślić, że nie wolno przerywać leczenia, nawet gdy subiektywnie nie odczuwa się już żadnych dolegliwości. To nie oznacza jeszcze pełnego wyzdrowienia. Zbyt wczesne zakończenie terapii zwiększa ryzyko nawrotów i przejścia choroby w stan chroniczny.

Chroniczne zapalenie nerek

Chroniczne zapalenie nerek przebiega podstępnie. Przez długi czas jego objawy mogą być łagodne i dlatego część pacjentów nie podejmuje specjalistycznego leczenia. Bez terapii choroba zawsze kończy się po krótszym czy dłuższym czasie zniszczeniem, zbliznowaniem tkanki nerek, wreszcie niewydolnością, co jednak często dotyka tylko jednej nerki. Schorzenie w porę rozpoznane, dostatecznie długo i prawidłowo leczone na ogół może całkowicie ustąpić. Nie można jednak tego z pewnością przewidzieć; w niektórych przypadkach nie dochodzi do pełnego wyleczenia.

Nieleczona choroba kończy się niewydolnością nerek

Przyczyny chronicznego zapalenia nerek

Ostre zapalenie kłębuszkowe nerek, nie w pełni wyleczone, poprzedza w wielu wypadkach zapalenie przewlekłe. Czasem dochodzi do ciągłych nawrotów zapalenia ostrego, aż rozwinie się w końcu uporczywe zapalenie przewlekłe. Dość często następuje najpierw stadium ukryte, w odczuciu subiektywnym praktycznie bez dolegliwości, które po latach przekształca się w zapalenie chroniczne.

Ostre zapalenie kłębuszkowe nerek

Chroniczne zakażenia pęcherza i cewki moczowej

Powszechnie za przyczyny uważa się także przewlekłe albo często nawracające zakażenia pęcherza i cewki moczowej. Mogą one niedostrzegalnie rozszerzyć się na nerki, aż dojdzie do zapalenia chronicznego parzystego organu. O wiele bardziej zagrożone są tu kobiety, szczególnie w okresie ciąży.

W pojedynczych przypadkach: także długotrwałe przeziębienie

W pojedynczych przypadkach chroniczne zapalenie nerek jest poprzedzone wielotygodniowym przeziębieniem bądź przewlekłym zapaleniem migdałków, u dzieci również szkarlatyną. Wówczas może dojść do początkowo niezauważalnego zapalenia nerek, które nieleczone staje się chroniczne.

Czynniki sprzyjające zapaleniu

Za czynniki sprzyjające przewlekłemu zapaleniu nerek uważa się głównie cukrzycę i nadciśnienie tętnicze. Cukrzyca zwiększa zapadalność na choroby organów wydalania, a nadciśnienie powoduje stopniowe uszkodzenie nerek. Jakąś rolę odgrywa też zmniejszona odporność na wilgoć i zimno. I chociaż te czynniki same nie spowodują chronicznego zapalenia nerek, mogą podwyższyć podatność na tę chorobę.

Arterioskleroza to także czynnik ryzyka

U ludzi starszych ryzyko chronicznego zapalenia z postępującą niewydolnością wrasta, gdy naczynia krwionośne nerek zniszczone są przez arteriosklerozę. Już samo stwardnienie tętniczek powoduje niewydolność, którą przewlekły stan zapalny jeszcze wzmaga.

Długotrwałe zażywanie środków przeciwbólowych

Jest wreszcie jeszcze jedna, szczególna odmiana chronicznego zapalenia nerek, którą wywołuje albo której przynajmniej sprzyja długotrwałe zażywanie środków przeciwbólowych. Większość chemicznych leków uśmierzających ból, gdy są stosowane długo i w dużych dawkach, poważnie obciąża nerki. Z tego powodu nawet preparaty dostępne bez recepty powinny być używane tylko przez krótki okres. W razie chronicznych bólów, których inaczej nie da się pokonać, terapeuta winien wybrać środek najmniej szkodliwy dla nerek. Potrzebna jest wówczas regularna kontrola, by ewentualne szkody jak najwcześniej rozpoznać i leczyć. Pomocnicza terapia prewencyjna (tu przede wszystkim nawłoć) może zapobiec uszkodzeniom.

Objawy, przebieg i komplikacje

Dwie zasadnicze formy

Rozróżniamy zasadniczo dwie podstawowe formy przewlekłego zapalenia nerek. Nie da się jednak przeprowadzić między nimi wyraźnej granicy, przejście jednej w drugą jest płynne, zdarzają się też formy mieszane.

Cechą pierwszej formy są obrzęki

Cechą jednej z nich są przede wszystkim puchliny (obrzęki). Wynikają one m.in. z ograniczonej sprawności nerek, polegającej na ich niezdolności do utrzymywania równowagi w gospodarce wodnej organizmu, wskutek czego płyny pozostają w tkankach. Jeśli występuje nadciśnienie tętnicze, zazwyczaj nie ma obrzęków.

Płyn może gromadzić się w różnych miejscach, zależnie od przypadku. Często obrzęki powstają w tkance podskórnej, co prowadzi do nabrzmień twarzy, powiek, także stóp i podudzi. Puchliny tworzą się też w dużych jamach ciała, powodując wysiękowe zapalenie opłucnej i wodobrzusze. Nierzadko dochodzi do obrzęków w osierdziu, a tym samym do poważnych dolegliwości sercowych.

Cechą drugiej formy – nadciśnienie tętnicze

Drugą odmianę przewlekłego zapalenia nerek cechuje głównie nadciśnienie tętnicze, sięgające 160–170/90–100 mm Hg. Te wartości mogą być znacznie przekroczone, jeżeli pacjent już miał wysokie ciśnienie przed zapaleniem nerek. Obrzęki zdarzają się wtedy rzadziej, ale nie można ich wykluczyć.

Gdy głównym symptomem jest nadciśnienie tętnicze, czasami niemal nie widać innych objawów, które kazałyby podejrzewać chorobę nerek. Raczej zwraca się uwagę na niejasne sygnały z układu wieńcowego, głównie zawroty głowy, szum w uszach, bóle głowy, ucisk w okolicy serca, twarz najpierw zaczerwienioną, potem bladą. Nadciśnienie można stwierdzić tylko przez pomiar.

Może dojść do osłabienia serca i arteriosklerozy

Ponieważ wysokie ciśnienie tętnicze powoduje stałe obciążenie serca i naczyń krwionośnych, w dalszym przebiegu często dochodzi do komplikacji w postaci osłabienia serca i postępującej arteriosklerozy.

Objawy ogólne

Do zasadniczych ogólnych objawów, które niezależnie od formy przebiegu pozwalają domyślać się chronicznego zapalenia nerek, należą jeszcze:
- ogólne niejasne odczucie choroby z niezwykle szybkim męczeniem się, aż do wyczerpania; obniżenie sprawności; osłabienie,
- brak apetytu, duże pragnienie, czasem nieprzyjemny posmak w ustach,
- ucisk, rzadziej bóle w okolicy lędźwi i nerek; ból może promieniować do brzucha, w okolice pachwin i do ramion,
- niezbyt wysoka gorączka, czasem z dreszczami,
- niewyraźny ucisk i uczucie ciasnoty w jamie opłucnej, często tylko sporadycznie; niekiedy duszności,
- pienisty mocz wskazujący na zwiększone wydalanie białka, zawierający domieszkę krwi, którą czasem można stwierdzić tylko laboratoryjnie, nie gołym okiem.

Pewność da tylko badanie specjalistyczne

Wszystkie te symptomy są wieloznaczne, mogą więc wystąpić również przy innych stanach patologicznych. Pewność można uzyskać tylko poprzez badanie specjalistyczne, któremu poddać się trzeba jak najszybciej.

Długotrwałe leczenie choroby

Leczenie może trwać miesiące i lata

Schorzenia chroniczne wymagają długotrwałej terapii. W przypadku przewlekłego zapalenia nerek trwać może ona miesiące i lata. Jeśli nie uda się uzyskać całkowitego wyzdrowienia, leczenie musi trwać do końca życia, by nie dopuścić do niewydolności narządu. Wszystkie działania terapeutyczne zastrzeżone są dla specjalisty. Czasami na początku konieczny jest pobyt w szpitalu i intensywna terapia.

Uregulowany tryb życia, unikać przemęczenia

Warunkiem wyleczenia jest uregulowany tryb życia, wykluczający wszelkie przemęczenie. Sprawność fizyczną można odzyskiwać tylko stopniowo, ostrożnie, przez regularny, lekki trening polepszający kondycję. Gdy pojawią się poważniejsze dolegliwości i gorączka, zawsze konieczne jest leżenie w łóżku. Zupełnie trzeba zrezygnować z palenia tytoniu, picia alkoholu – poza winem, ale tylko okazyjnie, w małych ilościach.

Indywidualna dieta

Indywidualną dietę układa terapeuta: zwykle wegetariańską, ubogą w tłuszcze, białko, sól i przyprawy, bogatą w surówki i węglowodany. Jeśli w wyniku znacznego wydalania białka z moczem powstanie deficyt białkowy, wzbogaca się ją o ryby, jaja, twaróg i inne przetwory mleczne, ewentualnie nieco mięsa. Jednak w większości przypadków w leczeniu zasadniczym dobrze sprawdza się jarskie żywienie z dużą zawartością surówek.

Na początek wskazana może być kilkudniowa głodówka, odżywianie się wyłącznie surówkami czy sokami, by odciążyć nerki i poprzez ogólne przestrojenie organizmu ponownie uruchomić zdolności regulacji i samoleczenia. Bezpośrednio potem zwykle następuje sprawdzona, parotygodniowa dieta jabłkowo-ryżowa.

Środki homeopatyczne

Przeciwko infekcjom mogą okazać się wskazane antybiotyki. Często jednak w chronicznym zapaleniu nerek można się bez nich obejść. Zwykle lepiej działają indywidualnie dobrane środki homeopatyczne. Tu na pierwszym miejscu jest znowu chroniąca nerki nawłoć (*Solidago*), ordynowana także w ziołolecznictwie (bez rozcieńczania). Ponadto w leczeniu uzupełniającym można przez dłuższy czas stosować środki homeopatyczne Apis D3–D6, Berberis D3 czy Phosphorus D6–D12 oraz leki roślinne: mącznicę lekarską, liść brzozy, łuski fasoli i połonicznik nagi.

Obniżenie ciśnienia krwi

Gdy dominującym objawem jest nadciśnienie tętnicze, konieczne jest dodatkowe działanie w celu obniżenia ciśnienia, ochrony serca i naczyń. Również do tego nadają się leki homeopatyczne jak Rauwolfia od D4, oraz rośliny lecznicze np. głóg dwuszyjkowy, jemioła pospolita i skrzyp polny. Bardzo wysokie ciśnienie wymagać może na początku leków chemicznych, które należy stosować przez możliwie krótki czas, ponieważ dłużej stosowane powodują istotne skutki uboczne.

Zabiegi fizykalne

Zabiegi fizykalne w chronicznym zapaleniu nerek mają za zadanie odciążenie systemu wieńcowego i poprawienie dopływu krwi do nerek. Nie każdy pacjent znosi je dobrze, toteż winny być zalecone przez terapeutę. Dobre wyniki dają opisane przy zapaleniu ostrym, stosowane miejscowo okłady na lędźwie i poduszka elektryczna czy termofor na okolicę nerek, a także naświetlanie nerek falami krótkimi i masaże tkanki łącznej w okolicy lędźwi. Ponadto wskazane są omówione przy zapaleniu pęcherza nasiadówki, do których dodaje się gotowe preparaty ze słomy owsianej i kwiatów traw.

Kąpiel ze szczotkowaniem

Na ogół skuteczne są *kąpiele ze szczotkowaniem.* Oto ich opis:

- Siadamy w wannie napełnionej wodą o temperaturze 35–37 stopni, tak aby woda sięgała do pępka, a nogi były całkowicie zanurzone (odmiennie niż w nasiadówce). Dużą gąbką albo niezbyt miękką szczotką, wciąż zanurzaną w wodzie trzemy mocno skórę, stale w kierunku serca (inaczej powstałoby ryzyko dolegliwości układu wieńcowego). Najpierw szczotkujemy prawą podeszwę, potem prawą nogę w górę, w kierunku tułowia, wieloma mocnymi ruchami, następnie tak samo lewą nogę, znów od podeszwy. Dalej w ten sam sposób prawą rękę, później lewą, od palców do klatki piersiowej. Gdy nie znosimy dobrze kąpieli, szczotkowanie możemy wykonać też na sucho, poza wanną.

Pobudza krążenie

Zabieg przede wszystkim pobudza krążenie krwi, przepływ limfy i przemianę materii, wspomaga wydalanie odpadów metabolicznych przez skórę.

Nawet gdy wydaje się, że leczenie chronicznego zapalenia nerek zakończyło się pełnym sukcesem, może dojść do nawrotów. Aby w razie potrzeby jak najwcześniej wznowić terapię, zalecane są regularne badania kontrolne.

Potrzebne regularne badania kontrolne

Przewlekła nerczyca

Wprawdzie określenie „nerczyca" uchodzi dziś w oficjalnym nazewnictwie za przestarzałe, ale w praktyce jest wciąż używane, więc je tu zachowamy. Chodzi o zbiorczą kategorię różnych zwyrodnieniowych chorób nerek, które mężczyznom przydarzają się częściej niż kobietom, przebiegają mniej lub bardziej ciężko, a nieleczone kończą się zawsze niewydolnością nerek.

Różne zwyrodnieniowe choroby nerek

Przyczyny przewlekłej choroby

Nerczyca o przebiegu chronicznym może być spowodowana różnymi przyczynami, przy czym nerki nie muszą być zaatakowane jako pierwsze. W większości przypadków nerczyca jest następstwem niewyleczonego do końca ostrego zapalenia kłębuszkowego nerek.

Zazwyczaj następstwo ostrego zapalenia kłębuszkowego nerek

Nerczycę poprzedza często infekcja nieobejmująca nerek. Najczęściej jest to bakteryjne zapalenie migdałków czy otrzewnej, rzadziej błonica lub gruźlica. Zakażenia wirusowe (np. przeziębienie, grypa) także mogą mieć związek z nerczycą.

Infekcje również częstą przyczyną

U niektórych pacjentów występuje zaburzenie metabolizmu tłuszczów, które prowadzi do odkładania się w nerkach cholesterolu i tłuszczów obojętnych (trójglicerydów). Nerki powiększają się i przyjmują barwę białawo-żółtą, a ich tkanka ulega stopniowo coraz większym zmianom degeneracyjnym.

Zaburzenie metabolizmu tłuszczów

Jako dalsze przyczyny nerczycy podawane są złośliwe guzy i toksyczne uszkodzenie nerek. Do najpopularniejszych trucizn powodujących toksyczną nerczycę należą różne, zbyt długo lub w zbyt wielkich dawkach stosowane leki przeciwbólowe. Coraz większą rolę w wywołaniu choroby odgrywają obecnie liczne substancje zatruwające

Guzy nerek

Lekarstwa przeciwbólowe

środowisko, np. metale ciężkie, które mogą „rzucić się na nerki".

Objawy i przebieg

Dolegliwości stopniowo narastają

Typowe sygnały ostrzegawcze

Nerczyca rozwija się powoli, ze wzrastającymi stopniowo dolegliwościami. Początkowo bywają one zazwyczaj lekceważone, więc zanim nastąpi specjalistyczne badanie i właściwe rozpoznanie, zwyrodnienie nerek poczyni znaczne postępy. Objawy pozostają przez długi okres zbyt niejasne, by podejrzewać chorobę nerek. Typowe sygnały ostrzegawcze to przede wszystkim:

- wzrastające szybkie męczenie się, wyczerpanie, osłabienie, nieustępujące mimo dostatku odpoczynku i snu,
- przewlekłe bóle głowy, czasem też tępy ból pleców (w okolicy nerek),
- niewyraźne dolegliwości układu pokarmowego, głównie brak apetytu, uczucie przepełnienia, skłonność do wymiotów, biegunka, niezwykle silne pragnienie,
- w stadiach bardziej zaawansowanych: duszności, dolegliwości sercowe, gwałtowne przyśpieszenia tętna, często znacznie zwiększone wydalanie moczu,
- mocz pienisty – znak wydalania znacznych ilości białka – ale bez domieszek krwi (w przeciwieństwie do zapalenia nerek),
- obrzmienia spowodowane nagromadzeniem płynów w tkance łącznej i pod skórą, szczególnie na twarzy, nogach, częściowo na rękach i w jamie brzusznej; obrzęki zwykle narastają powoli, ale czasem pojawiają się nagle.

Nie ma wzrostu ciśnienia tętniczego

Inaczej niż zapalenie nerek, nerczyca nie powoduje wzrostu ciśnienia tętniczego, ciśnienie rozkurczowe wynosi z reguły mniej niż 100. Nie wyklucza to jednak nadciśnienia z innych przyczyn.

Poważne choroby następcze

Postępujące w nerczycy zwyrodnienie tkanki nerek coraz bardziej ogranicza ważne dla organizmu funkcjonowanie tego organu. Z reguły nerki potrafią jeszcze przez długi czas w pewnym stopniu nadrabiać spadek wydajności, więc nie pojawiają się żadne groźne dla życia objawy. Ta faza nerczycy, przebiegająca powoli, nazywana jest *stadium utajenia.*

Stadium utajenia trwa często wiele lat

Stadium utajenia często trwa wiele lat. Stwarza to szansę, by wcześnie rozpocząć długofalowe leczenie w celu regeneracji nerek, która jednak rzadko udaje się w pełni. Jeśli szansa ta nie zostanie wykorzystana, bo pacjent znosi przewlekłe dolegliwości i nie zgłasza się do specjalisty, pojawia się wówczas dość szybko (zwykle w ciągu 6–12 miesięcy) najgroźniejsza komplikacja – wyraźne osłabienie czynności nerek. Nie można go już zrekompensować, a dalsze nieleczenie prowadzi do zagrażającej życiu krańcowej niewydolności z postępującą mocznicą.

Osłabienie czynności nerek to najgroźniejsza komplikacja

Inne powikłanie bierze początek z obrzęków. Gdy są rozległe (np. w jamie brzusznej), obciążają nadmiernie układ krwionośny, co grozi znacznymi zaburzeniami krążenia wieńcowego. Niebezpieczna dla układu wieńcowego jest również zbyt szybka likwidacja puchlin za pomocą środków moczopędnych, ponieważ może on ulec zapaści. Ponadto gwałtowne odprowadzenie nagromadzonej wody zwiększa ryzyko zakrzepicy i może prowadzić do ostrej niewydolności nerek.

Jedno z powikłań wiąże się z obrzękami

Gdy obrzęki istnieją w mózgu, pojawiają się różnorakie objawy zwiększonego ciśnienia śródczaszkowego, szczególnie bóle i zawroty głowy oraz zaburzenia widzenia. W ciężkich przypadkach symptomy przypominają stan poprzedzający udar mózgu.

Wreszcie nerczyca wzmaga zagrożenie infekcjami. Nawet lekkie zakażenia, na przykład występujące dość powszechnie zapalenie oskrzeli, stanowią dla pacjenta poważne niebezpieczeństwo.

Podwyższone ryzyko infekcji

Możliwości oddziaływania terapeutycznego w nerczycy

Kiepskie rokowania przy zaawansowanej nerczycy

Nawet na istniejącą od lat, daleko posuniętą nerczycę da się jeszcze oddziaływać terapeutycznie. Z biegiem czasu szanse wyleczenia maleją. Stają się tym mniejsze, im bardziej postąpiła degeneracja nerek. Leczenie przebiega różnie, w zależności od indywidualnego obrazu choroby. Zawsze musi być prowadzone przez specjalistę; czasem zalecany jest na początku pobyt w odpowiednim sanatorium.

Unikać przemęczenia fizycznego

Powszechnie obowiązuje zasada unikania przy nerczycy wszelkiego przemęczenia fizycznego. Jeśli choroba doprowadzi już do ograniczenia sprawności, kiedy pojawią się większe obrzęki i przeciążenie systemu wieńcowego lub dodatkowe zakażenia, konieczne jest leżenie w łóżku do momentu uzyskania poprawy. Później można spróbować odzyskiwać stopniowo sprawność przez indywidualnie dobrany trening polepszający kondycję.

Infekcje wymagają szczególnej ostrożności

Infekcje wymagają zachowania szczególnej ostrożności, nawet jeśli zazwyczaj przebieg ich jest banalny. Na przykład chroniczne ogniska zapalne, głównie w korzeniach zębowych i migdałkach, dla chorych na nerczycę stanowią tak wielkie ryzyko, że konieczna może się okazać kuracja antybiotykami bądź operacja. Nawet tak drobne zakażenia jak nieżyt gardła wymagają interwencji specjalisty.

Pożywienie

Dietę najlepiej rozpocząć od 3–5 dni surówkowych. Potem przechodzimy do pożywienia pełnowartościowego, zawierającego wiele surówek i dostateczną ilość białka w postaci przetworów mlecznych. Leczący orzeknie, w zależności od sprawności nerek, czy możliwe jest spożywanie mięsa i ryb – wysokowartościowych pokarmów proteinowych. Organizmowi trzeba wciąż dostarczać wystarczającej ilości protein, by zrównoważyć straty spowodowane wydalaniem ich z moczem. W przeciwnym razie przewlekła nerczyca może z czasem wywołać poważny deficyt białka.

Należy spożywać mniej soli. Na ogół nie można jej całkowicie odstawić (chyba, że takie jest wyraźne zalecenie lekarskie), bowiem z czasem i tu pojawiłby się niedobór. Zwykle spożywać można 3–4 g NaCl dziennie, czyli znacznie mniej niż w normalnym sposobie odżywiania.

Ograniczyć sól

Nie powinno się rezygnować z picia płynów w wystarczającej ilości, dopasowanej do funkcjonowania nerek. Reguła ogólna jest taka: objętość tego, co pijemy, nie może być większa niż objętość moczu z poprzedniego dnia. W razie potrzeby mierzy się ilość uryny, zbierając ją przez całą dobę w specjalnym pojemniku z podziałką.

Spożycie płynów

W charakterze leków w nerczycy mogą wystąpić odpowiednie środki homeopatyczne, zwłaszcza Solidago (nawłoć) D1, standardowy specyfik w chorobach nerek, a także np. Acidum formicicum D12, Apis D3-D6, Berberis D3, Dulcamara D3, Kalium nitricum D3 i Phosphorus D6. Ziołolecznictwo, by poprawić czynność nerek, proponuje w uzupełnieniu leki gotowe, mające w swym składzie nawłoć, nadto brzozę, pokrzywę, wilżynę cienistą, malwę i pietruszkę.

Środki homeopatyczne

Ostrożność jest zalecana przy wszystkich środkach silnie moczopędnych. Można je podawać tylko z wielką rozwagą, by nie dopuścić do zaburzeń w układzie wieńcowym, powstania zakrzepicy i ostrej niewydolności nerek. Na ogół obrzęki nie muszą być likwidowane gwałtownie, wystarczy takie tempo, które nie obciąża nadmiernie nerek.

Ostrożnie ze środkami silnie moczopędnymi

Zabiegi fizykalne w nefrozie są podobne jak w chronicznym zapaleniu nerek. W terapii długoterminowej wystarczy na ogół poduszka elektryczna (termofor) na okolicę nerek i kąpiel ze szczotkowaniem. Poza tym co 2–3 dni można – jeśli pacjent dobrze to znosi – wziąć 10- lub 15-minutową ciepłą nasiadówkę z dodatkiem słomy owsianej lub kwiatów traw (dostępne gotowe preparaty kąpielowe).

Zabiegi fizykalne

Po kąpieli i porannej toalecie należy nasmarować całe ciało olejkiem pielęgnacyjnym (dostępny w sklepach z towarami ekologicznymi), delikatnie go wcierając. Poprawia to krążenie, w tym dopływ krwi do nerek.

Pielęgnacja skóry

Choroba kamicza nerek (kamica nerkowa)

Częstsza u mężczyzn

Kamienie nerkowe spotyka się dość często, u nas cierpi na nie co setna osoba, z tym, że częściej występują u mężczyzn. Wprawdzie złogi w nerkach mogą powstawać w każdym wieku, lecz zazwyczaj dzieje się to między trzydziestką a czterdziestką.

Jak powstają kamienie nerkowe

Niejasne główne przyczyny

Byç może predyspozycja dziedziczna

Przyczyny powstawania kamieni nerkowych nie są jeszcze do końca poznane. Prawie pewne jest jednak, że do kamicy dochodzi, gdy zbiegnie się kilka czynników chorobotwórczych. Być może u niektórych (a może wszystkich?) chorych pewną rolę gra skłonność dziedziczna. Faktem jest, że mimo dokładnej diagnostyki niemal u 30% pacjentów nie da się w ogóle ustalić jednoznacznej przyczyny choroby.

Najczęstsze przyczyny

Przyczyny w nerkach i poza nerkami

Najważniejsze czynniki współsprawcze

Przyjmując zastrzeżenie, że zasadnicze przyczyny kamicy nerek wciąż pozostają nieznane, rozpatruje się szereg czynników współsprawczych, sprzyjających tworzeniu się konkrementów. Konkrementy powstają zazwyczaj dopiero wtedy, gdy jednocześnie zachodzi przynajmniej kilka niżej wymienionych i krótko opisanych okoliczności. Rozróżniamy tu czynniki zlokalizowane w samych nerkach i drogach moczowych oraz czynniki znajdujące się poza organami wydalania.

Według dzisiejszego stanu wiedzy najważniejsze z nich to:

- zmieniony skład i stężenie moczu, co następuje m.in. w wyniku dostarczania organizmowi zbyt małej ilości płynów i silnego pocenia się; występuje także w różnych chorobach,
- niedostatek w moczu inhibitorów takich jak magnez i kwas cytrynowy, zapobiegających strącaniu się złogów,
- zmiany zapalne w nerkach i drogach moczowych lub przeszkody w odpływie (np. gruczolak szyi pęcherza, zniekształcenia) prowadzące do zalegania,
- zaburzenia metabolizmu, szczególnie dna ze wzrostem stężenia kwasu moczowego, ale również zakłócenia czynności wątroby, powodujące przeciążenie nerek zbyt silną koncentracją w urynie różnych produktów przemiany materii,
- zakłócenia w gospodarce wapniem wynikające po części z oddziaływań hormonalnych (wadliwa czynność gruczołów przytarczycznych), a po części także z przedawkowania witaminy D bądź z choroby nerek,
- brak witaminy A, która w niepoznany do końca sposób wydaje się odgrywać jakąś rolę w zapobieganiu kamicy,
- błędy w odżywianiu, jednak nie wiadomo dokładnie jakie; prawdopodobnie dieta bogata w białko i tłuszcze podwyższa ryzyko powstania kamieni, zaś bogata w surówki i węglowodany, uboga w białko i tłuszcze – obniża.

Oprócz tego rozważa się istnienie jeszcze innych przyczyn, nad czym tutaj nie będziemy się rozwodzić; są one bowiem wątpliwe i nie pomogą w zrozumieniu mechanizmu powstawania kamieni w nerkach.

Powstawanie kamieni w nerkach

Mocz zdrowego człowieka zawiera różne inhibitory, m.in. magnez i kwas cytrynowy, które w normalnych warunkach zapobiegają wytrącaniu się złogów i sklejaniu ich w kamienie. Często jednak stężenie tych inhibitorów

W normalnych warunkach inhibitory zapobiegają wytrącaniu się złogów z moczu jest zbyt małe, gdyż na przykład organizm otrzymuje za mało magnezu. Wtedy wytrącanie krystalicznego osadu w moczu nie jest hamowane.

Silnie stężony mocz

Częściej jednak inhibitorów jest wystarczająco dużo, ale mocz jest zbyt stężony (przesycony), by magnez, kwas cytrynowy itp. zdołały zapobiec powstawaniu złogów. Dochodzi do tego głównie w sytuacji, gdy człowiek zbyt mało pije lub mocno się poci, co zawsze prowadzi do wzrostu stężenia moczu. Mocz może być też przesycony, jeśli rozmyślnie przez długi czas jest wstrzymywany lub gdy przez moczowody cofnął się do nerek. Ewentualnie mogą się w nim znajdować zarodki krystalizacji, które mimo wystarczającej ilości inhibitorów powodują strącanie składników; tak zdarza się przede wszystkim podczas zapalenia organów wydalania i po nim.

Zarodki krystalizacji

Piasek nerkowy

Na początku mamy do czynienia z bardzo drobnymi, wytrąconymi z moczu kryształami, zwanymi *piaskiem nerkowym*. Gdy drobne kryształy skleją się, stopniowo powstanie z nich kamień. Ponadto pojedyncze drobne konkrementy pełnią rolę ośrodków krystalizacji, na których powoli odkłada się coraz więcej strącanych składników. To także jest droga do powstawania dużych kamieni.

Kamienie zwykle wielkości ziaren grochu

Rozmiary kamieni są bardzo różne. Większość przypomina wielkością ziarna ryżu, grochu czy soczewicy. Takich małych kamieni z reguły w nerkach znajduje się wiele. Pojedyncze sztuki mogą być jednak bardzo duże (operując nerki chirurdzy natykają się na kamienie o wadze nawet do 1 kg) i jako kamienie odlewowe albo koralowe wypełniają całą miedniczkę nerkową.

Różny skład

Kamienie nerkowe składają się w $^{1}/_{4}$ z materiału organicznego, w $^{3}/_{4}$ z substancji nieorganicznych

Kamienie nerkowe składają się w ok. $^{1}/_{4}$ z substancji organicznych i w $^{3}/_{4}$ z nieorganicznych soli mineralnych. Zależnie od dominujących związków nieorganicznych wyróżniamy poszczególne rodzaje, ale skład kamieni nerkowych pozostaje w znacznym stopniu nieznany, póki choć najmniejsze z nich nie wyjdą drogą naturalną i nie zostaną zanalizowane. Dlatego pacjenci, których kamienie nie zostały dotychczas zbadane, winni obserwować swój mocz w poszukiwaniu małych kamieni. Znalezione trzeba dostarczyć terapeucie, ponieważ to ułatwi prowadzenie właściwego leczenia.

Najczęściej spotykane są następujące rodzaje kamieni nerkowych:

Kamienie wapniowo-szczawianowe

- *Kamienie wapniowo-szczawianowe* stanowią blisko 60% wszystkich kamieni nerkowych. Powstają z soli wapnia i kwasu szczawiowego zawartego w warzywach (głównie rabarbarze, szpinaku, pomidorach), występującego w moczu w większym stężeniu także w niektórych chorobach (schorzeniach wątroby, w cukrzycy). Są zwykle bardzo twarde, szare lub czarniawe, często kanciaste czy ząbkowane, co może prowadzić do poważnych dolegliwości. Są nierozpoznawalne na zdjęciu rentgenowskim. W ich powstawaniu gra prawdopodobnie jakąś rolę brak magnezu i witaminy B6.

Kamienie moczanowe

- *Kamienie moczanowe* składają się z kwasu moczowego i jego soli, stanowią ok. 20% wszystkich kamieni. Powstają tylko w silnie kwaśnym moczu, w którym wytrącają się kryształy kwasu moczowego; często towarzyszy temu podwyższenie zawartości kwasu moczowego we krwi oraz dna. Zazwyczaj są twarde i gładkie, żółtawe lub brązowe. Wywołują mniejsze dolegliwości, nie dadzą się zdiagnozować promieniami rtg. Często można je rozpuścić, alkalizując mocz.

Kamienie fosforanowe

- *Kamienie fosforanowe* są bardziej miękkie niż pozostałe, gładkie, koloru białego do brązowawego, szybko rosną. Często powodują długotrwałe bóle, nagle nasilające się. Obok kamieni fosforanowych zbudowanych z soli jednokationowych spotyka się konkrementy z fosforanu wapniowo-amonowego i magnezowo-amonowego. Powstawaniu kamieni zawierających fosforany sprzyjają zakażenia układu wydalania.

Kamienie cystynowe

- *Kamienie cystynowe* występują rzadziej i biorą się z poważnych wrodzonych defektów metabolizmu cystyny (jednego z aminokwasów, z których zbudowane jest białko). Defekt typu I powoduje wzrost zawartości cystyny w moczu, a typu II także zwiększenie stężenia innych aminokwasów (argininy, lizyny). Wytrącanie z moczu zbyt stężonej cystyny prowadzi do powstania już u dzieci szczególnie trudno rozpuszczalnych kamieni.

Nie rozpatrujemy tu pozostałych rodzajów konkrementów, gdyż są rzadko spotykane w chorobie kamiczej nerek.

Niejasne sygnały ostrzegawcze – ostra kolka nerkowa

Kamienie często nie objawiają się przez wiele lat

Symptomy kamicy nerkowej bywają różne, zależą głównie od wielkości i umiejscowienia kamieni. Nierzadko przez całe lata czy nawet dziesięciolecia kamienie bywają „nieme", czyli nie dają objawów. Można je odkryć przypadkowo w badaniu ukierunkowanym na co innego.

Niejasne sygnały ostrzegawcze

Jeśli symptomy się pojawiają, są często niejasne i nie wskazują jednoznacznie na chorobę kamiczą nerek. Do tych nieswoistych sygnałów ostrzegawczych należą m.in.:

- skłonność do wzdęć, nudności, czasem wymioty; tu raczej podejrzewa się zaburzenie w układzie pokarmowym niż kamienie w nerkach,
- tępy, na ogół niezbyt dokuczliwy ucisk i ból w krzyżu (w okolicy nerek), do którego wielu chorych przyzwyczaja się i nie zgłasza do badania; nierzadko mylony z bólami krzyża wynikającymi ze ścierania się krążków międzykręgowych,
- objawy zastoinowe w żyłach, spowodowane zakłóceniem krążenia w jamie brzuszno-miedniczej, m.in. żylaki i hemoroidy, ewentualnie zapalenie odbytu.

Wyraźniejszymi wskazówkami choroby nerek (choć nie tylko kamicy) są trudności w oddawaniu moczu i domieszki w nim krwi. Te objawy mogą świadczyć, że w wyniku choroby kamiczej doszło już do procesów zapalnych, zmian wrzodowych czy powstania blizn.

Trudności w oddawaniu moczu, krew w moczu

Typowym i jednoznacznym symptomem kamieni w nerkach jest *ostra kamicza kolka nerkowa*, która z racji gwałtownego bólu zmusza każdego pacjenta do wizyty u lekarza. Należy do najokropniejszych bólów, jakie człowiekowi dane jest znosić.

Ostra kamicza kolka nerkowa

Dzieje się tak, gdy niewielki kamień powstały w nerce, pod wpływem własnego ciężaru i przez strumień moczu wprawiony w ruch, utknie gdzieś w drogach moczowych. Mięśnie starają się przezwyciężyć tę przeszkodę, a to powoduje kolkę. I albo kamień w końcu zostanie przepchnięty przez moczowód do pęcherza, gdzie pozostanie bądź przez cewkę moczową wyjdzie z organizmu, albo powróci do nerki.

Kolka nerkowa zaczyna się nagle, silnym, skurczowym bólem, który wzmaga się w ciągu następnych kilku minut i trwa przez okres liczony w minutach lub godzinach. Ból odczuwalny zasadniczo po tej stronie, gdzie tkwi kamień (niekiedy także po zdrowej), promieniuje w dół aż do wewnętrznej strony uda. Towarzyszy mu napięcie powłok brzusznych, wymioty, czasem dreszcze i gorączka. Mimo parcia udaje się w najlepszym wypadku oddać tylko małą porcję moczu, gdyż kamień utrudnia i uniemożliwia odpływ. Niekiedy można też w urynie dostrzec krew.

Przebieg kolki

Kolka nerkowa może wystąpić tylko raz, jeżeli kamień wyjdzie z organizmu drogą naturalną. Jeśli nie, kolka powraca często, w różnych odstępach czasu, aż wreszcie kamień stanie się na tyle duży, że nie wejdzie do dróg moczowych.

Kolka może występować częściej

Zamiast kolki napadowej większe kamienie mogą powodować trwały ból w okolicy nerek. Oznacza to, że kamień poważnie utrudnia wydalanie moczu. Powstają przez to zastoiny, a rozciągnięcie torebki nerkowej odczuwane jest jako ciągły ból.

Trwały ból w okolicy nerek

Przebieg i komplikacje

Częste zapalenie miedniczek nerkowych

Niezależnie od tego, czy kamień nerkowy daje objawy, wywołuje trwały ból, napady kolki czy też nie, zawsze powoduje chroniczne podrażnienie. Toteż w przebiegu choroby dochodzi często do zapalenia miedniczek nerkowych lub całych nerek, co może skończyć się ich niewydolnością.

Komplikacje w postaci infekcji

Dłuższa obecność kamieni w nerkach może skutkować komplikacjami w postaci infekcji dróg moczowych. Dodatkowo w drogach tych nierzadko powstają wrzody śluzówki i blizny, które powodują utrudnienia w oddawaniu moczu. Pacjent cierpiący na chroniczne lub wciąż nawracające zapalenie dróg moczowych, niepoddające się żadnej terapii, winien przezornie postarać się o sprawdzenie, czy przyczyną dolegliwości nie jest kamica nerek.

Kamienie w pęcherzu

Gdy kamień z nerki przejdzie przez moczowód do pęcherza moczowego, pozostanie tam, jeśli nie zostanie usunięty na zewnątrz przez cewkę. Powiększa się stopniowo w wyniku odkładania substancji wytrąconych z uryny. Stale drażni błonę śluzową pęcherza i często powoduje z trudem dające się leczyć stany zapalne. Gdy utrudnia odpływ, choremu grozi zaleganie moczu aż do nerek. Z tych powodów kamica, nawet prawie nie wywołująca dolegliwości, nie może pozostać nieleczona. Nie da się bowiem wykluczyć, że podwyższa ryzyko pojawienia się przewlekłej niewydolności, a także choroby nowotworowej nerek.

Nie wolno nie leczyć kamicy

Terapia choroby kamiczej nerek

Kamienie da się czasem skutecznie wydalić na zewnątrz

Kamienie nerkowe dają się czasem skutecznie wydalić fizjologiczną drogą na zewnątrz albo rozpuścić. Medycyna naturalna takie metody leczenia stawia na pierwszym miejscu. Jednak nie zawsze dają pomyślny wynik, 30% przypadków w końcu wymaga jednak interwencji chirurgicznej. Ostre kolki kamicze są tak uciążliwe, że konieczna jest stała opieka specjalisty, który szybko potrafi przerwać ból, podając silne leki przeciwbólowe i przeciwskurczowe.

Szybka pomoc w ostrej kolce kamiczej

Nie ma środka naturalnego, który szybko i niezawodnie uporałby się z bólem niemal nie do zniesienia, występującym przy ostrej kolce kamiczej. Wprawdzie niektóre preparaty homeopatyczne odznaczają się dobrą skutecznością, ale z reguły nie działają tak prędko i radykalnie, jak silne leki chemiczne, które oczywiście mogą powodować poważne skutki uboczne, lecz mimo to ich zastosowanie w ostrych stanach bólowych jest uzasadnione. Dlatego w przypadku kolki nerkowej natychmiast zwracamy się do lekarza, by zrobił zastrzyk przeciwbólowy i przeciwskurczowy – tylko silne farmaceutyki potrafią szybko przerwać ból.

Stosowanie lekarstw chemicznych jest uzasadnione w silnych bólach

Uwolnienie od kolki może nastąpić, gdy kamień przesunie się przez rozkurczony moczowód w dół, do pęcherza, a potem zostanie ostatecznie wydalony przez cewkę. Proces ten wspomaga się, zażywając zgodnie z przepisem lekarza moczopędne leki, gdy tylko minie ostry napad bólu. Do tego nadaje się doskonale przede wszystkim liść brzozy, pokrzywa i mniszek pospolity, a także nawłoć i wilżyna cienista. Jeśli kamień jest tak duży, że nie przejdzie przez moczowód, rozkurcz powoduje jego powrót do miedniczki nerkowej, co grozi powtórzeniem się bólu w każdej chwili. Środki stymulujące wytwarzanie uryny nie są wówczas wskazane.

Lekarstwa roślinne moczopędne

Zanim chorym zajmie się lekarz, można łagodzić ostrą kolkę zabiegami fizykalnymi. Sprawdza się tu opisana przy zapaleniu pęcherza nasiadówka ze wzrastającą temperaturą kąpieli (patrz s. 38). Pomocne są też ciepłe (tak bardzo, jak tylko to możliwe) okłady z kwiatów traw na okolice nerek, dostępne w postaci gotowej w aptece (warto mieć w zapasie). Gdy znany

Nasiadówka ze wzrastającą temperaturą kąpieli

Okłady z kwiatów traw

jest rodzaj kamieni, lekarz zapewne na wszelki wypadek zapisze silne środki przeciwbólowe i przeciwskurczowe, by chory miał je w domowej apteczce i w razie potrzeby natychmiast ich użył. Ale nawet, gdy medykamenty te prędko pomogą, nie należy w przypadku ostrej kolki nerkowej rezygnować z niezwłocznego wezwania lekarza. Tylko on bowiem może z całą pewnością wykluczyć inną przyczynę napadowego bólu.

Zawsze szybko wezwać lekarza

Wydalanie i rozpuszczanie kamieni

Wydalanie drogą naturalną

Warto podejmować próby wydalenia naturalną drogą mniejszych kamieni nerkowych, które przedostaną się przez moczowód i cewkę moczową. Wchodzą tu w grę następujące działania następujące działania – oczywiście pod warunkiem zaakceptowania ich przez specjalistę (leczenie choroby kamiczej nerek powinno odbywać się pod fachowym nadzorem):

- Zwiększanie ilości wydalanego moczu, by kamień został wypłukany (wyniesiony). Wymaga to pełnej sprawności nerek i silnego serca, gdyż spożywanie dużych ilości płynów obciąża system wieńcowy. Nadto trzeba wziąć pod uwagę, że wychodzące kamienie mogą gdzieś utknąć i spowodować gwałtowną kolkę; profilaktycznie lekarz powinien przepisać leki przeciwbólowe i rozkurczowe, które, przyjmowane aż do wydalenia kamienia, zapobiegną takiej ewentualności.

  Pić przynajmniej 2,5 l dziennie

  By wypłukać kamienie trzeba dużo pić. Dzienne spożycie płynów winno wynieść przynajmniej 2,5 l. Specjalista orzeknie, zależnie od składu chemicznego kamieni, czy może to być woda mineralna. Przede wszystkim napój nie powinien zawierać zbyt dużo wapnia, magnezu i fosforanów, ponieważ sprzyjają powstawaniu kamieni.

  Dobra jest zwykła woda pitna, byle niezbyt twarda (twarda tzn. zawierająca liczne związki mineralne).

  Napar z ziół

  Może ona służyć także do przygotowania naparu z moczopędnych mieszanek ziołowych, kupionych w aptece zgodnie z zaleceniem lekarskim, zawierających głównie liść brzozy, pokrzywę i mniszek pospolity, a niekiedy również mącznicę lekarską, połonicznik nagi, owoc dzikiej róży i jałowiec pospolity. Dzienna dawka to 3–5 filiżanek.

Kawa i piwo

Do tego można jeszcze ewentualnie wypijać 2–3 filiżanki kawy dziennie oraz do 0,5 l piwa pszenicznego lub typu pils (złocistego, wytrawnego, fermentacji dolnej, o średniej mocy), by dobrze przepłukać nerki.

Soki roślinne

Wskazane są też soki roślinne (do 300 ml dziennie), najlepiej z pokrzywy, mniszka pospolitego, selera i szparagów – wszystkie moczopędne. Pić je należy rozcieńczone wodą w stosunku 1:1.

Terapia ruchowa jest dyskusyjna

- Dyskusyjna przy kamicy nerek jest terapia ruchowa. Niektórzy lekarze zalecają unikać wysiłku fizycznego; czasem dopuszczają jednogodzinne codzienne spacery. Inni wprost przeciwnie, radzą spowodować ruchem ciała samoistne wydalenie kamieni; mają temu sprzyjać ćwiczenia fizyczne z rytmicznymi wstrząsami, jak tenis, jazda konna, skakanka, podskoki w miejscu czy marsz po schodach. Oba poglądy można poprzeć dowodami z praktyki lekarskiej; ostatecznie tylko terapeuta w konkretnym przypadku może orzec, czy ruch jest pożyteczny czy raczej niebezpieczny. Na pewno nie da się w ten sposób usunąć większych kamieni. W takim przypadku ćwiczenia fizyczne mogłyby raczej spowodować silną kolkę, dlatego trzeba z nich zrezygnować.

Rozpuszczanie kamieni

Prócz usiłowania wydalenia kamieni drogą naturalną, można spróbować je rozpuścić. To również powinno odbywać się według zaleceń specjalisty. Warunkiem jest znajomość ich składu chemicznego, bo tylko wtedy możliwe będzie skuteczne postępowanie. Wobec opisanych uprzednio rodzajów kamieni wskazane są następujące środki:

Kamienie wapniowo-szczawianowe

- Na *kamienie wapniowo-szczawianowe* dobrze działa przede wszystkim magnez, odgrywający rolę środka rozpuszczającego; dodatkowo przy pomocy witaminy B6 można zmniejszyć wytrącanie się kwasu szczawiowego. Lekarz zaordynuje konieczne lekarstwa. Ponadto należy przestrzegać diety zawierającej dużo magnezu, złożonej głównie z płatków owsianych, ryżu, pełnoziarnistych wyrobów mącznych niefermentowanych (np. makaronu), ziemniaków, chleba pełnoziarnistego, dojrzałych owoców i bogatej w magnez wody mineralnej; kto nie chce poprzestać na żywieniu jarskim, może poza tym jeść nieco mięsa i ryb. Należy unikać mleka i nabiału, bo zawierają za dużo wapnia, zrezygnować z bogatej w Ca wody mineralnej, owoców i warzyw z wysoką zawartością szczawianów (tj. fasoli, grochu, kapusty, selera, szpinaku, pomidorów, cebuli, śliwek, rabarbaru, agrestu) oraz z czekolady, kawy ziarnistej i czarnej herbaty.

Kamienie moczanowe

- *Kamienie moczanowe* powstają tylko w kwaśnym moczu i często po 5–12 tygodniach ulegają ponownie rozpuszczeniu, gdy medykamentami zalkalizujemy urynę, czyli zmniejszymy w niej zawartość kwasu. W razie potrzeby lekarstwami można też ograniczyć wytwarzanie kwasu moczowego, podobnie jak w przypadku dny. Leki zapisuje specjalista. Nie wolno dopuścić do zbyt mocnej alkalizacji (powyżej pH = 6,8), bo mógłby się wokół kamienia moczanowego odkładać fosforan, czyniąc kamień nierozpuszczalnym w tych warunkach. Kwasowość łatwo sprawdzimy za pomocą pasków testowych, pozwalających odczytać wartość pH moczu.

  Dieta powinna składać się głównie z sałaty, ziemniaków, jarzyn, pełnoziarnistych wyrobów mącznych niefermentowanych, ryżu, chleba pełnoziarnistego, niewielkich ilości jaj, mleka, twarogu i alkalicznej wody mineralnej. Unikać należy mięsa, podrobów, śledzi, produktów wędzonych i peklowanych, brukselki, szpinaku, owoców strączkowych, octu i ostrych przypraw, alkoholu, kawy i czekolady; znacznie ograniczyć spożywanie soli. Dodatkowo można wypijać codziennie sok z 2 cytryn lub przyjmować lek zawierający kwas cytrynowy.

- *Kamienie fosforanowe* (w tym zawierające fosforany wapniowo-amonowy i magnezowo-amonowy) rozpuszczają się trudniej. Przyczyna tkwi głównie w tym, że w wyniku uwolnienia amoniaku mocz ulega niepożądanej, silnej alkalizacji. W takim przypadku należy go zakwasić przy pomocy odpowiednich leków (np. metioniny). Poza tym, bakteryjnemu rozkładowi mocznika i uwalnianiu amoniaku mogą zapobiegać antybiotyki stosowane w powtarzających się infekcjach. Zażywanie związków aluminium powoduje, że z jelita wchłaniana jest mniejsza ilość fosforanów. Dieta powinna zakwasić mocz, dlatego musi się w niej znaleźć mięso w umiarkowanych ilościach, ryby, jaja, potrawy mączne, tłuszcze (nie za dużo), świeże warzywa, poza tym czarna herbata, nieco kawy, niewiele cukru. Niedopuszczalne są owoce strączkowe, sałata, seler, szpinak, banany, soki owocowe, mleko, ser i gazowana woda mineralna oraz alkohol, a świeże owoce należy spożywać z umiarem.

Kamienie fosforanowe

Dieta, która ma doprowadzić do rozpuszczenia kamieni nerkowych, oczywiście nie zawsze odpowiada zasadom zdrowego pełnowartościowego odżywiania. Dla dobra terapii trzeba jednak na pewien czas zdecydować się na specjalne menu. Po jej zakończeniu (po rozpuszczeniu kamieni) nastąpi powrót do pokarmu pełnowartościowego, więc nie dojdzie do stanu niedożywienia.

Dieta nie zawsze odpowiada pełnowartościowemu odżywianiu

Powyższe działania nie w każdym przypadku przyniosą oczekiwany skutek. Najłatwiej ulegają rozpuszczeniu kamienie moczanowe. Sukcesem może być też zmniejszenie kamienia, który ewentualnie potem, samoistnie, naturalną drogą opuści organizm.

Zabiegi chirurgiczne

Gdy kamienia nerkowego nie da się wypłukać ani rozpuścić, pozostaje jedyne wyjście: usunięcie chirurgiczne. Szczególnie z dużymi kamieniami umiejscowionymi w miedniczkach nerkowych i z kamieniami uwięzionymi w moczowodach, silnie utrudniającymi wypływ moczu, można uporać się tylko w ten sposób. Około 30% wszystkich przypadków kamicy musi być tak leczonych, gdyż terapia zachowawcza zawodzi i grozi wówczas bardzo groźne uszkodzenie nerek (dlatego nie możemy zbyt długo zwlekać z podjęciem decyzji o chirurgicznym usunięciu kamieni nerkowych – nie można się tego bać).

Ok. 30% przypadków kamicy wymaga interwencji chirurga

Operację można przeprowadzić różnymi sposobami. Od dawna nie jest już konieczne chirurgiczne otwieranie nerki w celu wydobycia kamienia – to duży sukces współczesnej medycyny. Często wystarczają poniżej opisane łagodniejsze metody:

Urolitoliza przez skórę

- *urolitoliza przez skórę*: najpierw wykonuje się przez skórę połączenie do nerki, przez które z kolei odbywa się ciągłe płukanie organu związkami chemicznymi, zdolnymi rozpuszczać różne kamienie, szczególnie te z miedniczki nerkowej,

Ekstrakcja za pomocą pętli

- *ekstrakcja za pomocą pętli*: cystoskopem wprowadza się pętlę do uwięzionego w moczowodzie kamienia i obejmuje nią kamień; nie można jednak wyciągać go w ten sposób, najczęściej po kilku dniach samoistnie wychodzi na zewnątrz,

Kruszenie szczypcami

- *kruszenie szczypcami*: cystoskopem doprowadza się szczypce do kamienia, by go skruszyć; po takim działaniu fragmenty kamienia wychodzą na zewnątrz drogą naturalną,

Kruszenie falami dźwiękowymi

- *kruszenie falami (ultra)dźwiękowymi*: nowa metoda, nad wyraz nieinwazyjna, nie zawsze jednak zalecana; pacjent siedzi w wodzie, która lepiej niż powietrze przewodzi fale dźwiękowe; fale są tak kierowane, aby ich ognisko znalazło się w miejscu, gdzie tkwi kamień; wielokrotne oddziaływanie fal może skruszyć kamień w nerce, a jego fragmenty wyjdą na zewnątrz drogą naturalną.

O wyborze jednej z tych metod rozstrzyga wyłącznie lekarz, w każdym przypadku indywidualnie. Jeśli konieczny jest zabieg chirurgiczny, nie wolno go odwlekać bez potrzeby, aby w okresie oczekiwania kamień nie spowodował nowych uszkodzeń w nerce.

Lekarz rozstrzyga w każdym przypadku indywidualnie

Zapobieganie nawrotowi kamicy

Po usunięciu kamieni w 50–70 przypadkach na 100 grozi ponowne ich powstanie, gdy zaniechamy leczenia uzupełniającego (pooperacyjnego). Polega ono, zależnie od konkretnego schorzenia, na różnorodnych działaniach przepisanych przez specjalistę. Między innymi trzeba zlikwidować przyczyny zalegania moczu (blizny, zniekształcenia) oraz za pomocą środków roślinnych lub homeopatycznych zwiększyć wydalanie moczu, by nowo powstający piasek nerkowy był wypłukiwany, zanim utworzą się z niego większe kamienie.

Groźba ponownej kamicy, gdy braknie leczenia uzupełniającego

Może być również konieczny specjalny dobór pokarmu, by nie wprowadzać do organizmu (w zbyt dużej ilości albo wcale) określonych składników kamieni (np. kwasu szczawiowego). Jednak stała dieta nie może prowadzić do niedożywienia, w szczególności do niedoboru wapnia, bo wtedy choć prawdopodobnie ochroni przed nowymi kamieniami nerkowymi, trzeba będzie się liczyć z pojawieniem innych chorób. Pełnowartościowe menu, zgodne ze wskazaniami reformatorów odżywiania Birchera-Bennera i Kollatha, bogate w surówki, ubogie w tłuszcze i niemal bezmięsne, zapobiegnie kamieniom nerkowym, nie narażając pacjenta na choroby wynikłe z niedożywienia.

Dieta może okazać się konieczna

Szczególną uwagę należy zwrócić na dostatek w pożywieniu witaminy A, będącej czynnikiem chroniącym przed kamicą nerkową. Dzienne zapotrzebowanie pokrywa już surówka ze średniej wielkości marchwi z odrobiną oleju (witamina A, rozpuszczalna w tłuszczach, tylko w ich obecności jest dobrze przyswajana).

Witamina A w dostatecznej ilości

W razie potrzeby przyjmuje się lekarstwa, na przykład ograniczające nadmierne wytwarzanie w procesach metabolicznych kwasu szczawiowego czy zmniejszające wchłanianie fosforanów z jelita.

Najważniejsze w profilaktyce: pić nie za mało

Najważniejsze działanie profilaktyczne, które można stosować na własną rękę, to picie wystarczającej ilości płynów, by rozcieńczyć mocz. Kamienie bowiem wytrącają się z moczu tylko wtedy, gdy jest on przesycony, czyli zawiera więcej substancji niż może znajdować się w roztworze. Dostarczając organizmowi dosyć płynów (min. 2 l dziennie), unikniemy zbyt dużego stężenia moczu. Jeśli jego ciężar właściwy utrzymamy w ten sposób poniżej 1012 g/l (można to regularnie kontrolować za pomocą pasków testowych), ponowne utworzenie się kamieni nerkowych będzie niemożliwe.

Woda lecznicza

Herbata z owoców dzikiej róży

Piwo i kawa

Do uzupełniania płynów w organizmie dobrze nadaje się woda lecznicza o względnie małej zawartości soli mineralnych i pierwiastków śladowych, przeznaczona specjalnie do przepłukiwania nerek i zapobiegania kamicy oraz łagodnie moczopędna herbata (napar) z owoców dzikiej róży, którą – w przeciwieństwie do większości herbat ziołowych – wolno bez ryzyka pić stale. Poza tym można rozcieńczać mocz, spożywając w umiarkowanych ilościach piwo pszeniczne lub typu pils i kawę; inne napoje alkoholowe są w zasadzie zakazane.

Konsekwentne przestrzeganie powyższych wskazówek zazwyczaj w pełni chroni przed nawrotem kamicy nerek.

Niewydolność nerek

Ostatnie stadium to krańcowa niewydolność

Osłabienie czynności nerek, ostre albo przewlekłe, może nastąpić z różnych przyczyn. W ostatnim stadium, gdy nerki zachowują mniej niż 15% swoich zdolności filtracyjnych, dochodzi do krańcowej niewydolności. Ten zagrażający życiu stan można poprawić dializami, które uratowały wielu pacjentów. Najlepiej jednak możliwie szybko przeszczepić choremu nerkę pochodzącą od odpowiedniego dawcy; dializa będzie wtedy zbyteczna.

Groźna ostra niewydolność nerek

Sygnały ostrzegawcze

Ostra niewydolność nerek pojawia się nagle. Sygnałami ostrzegawczymi mogą być nudności, wymioty, zaburzenia świadomości oraz silnie zmniejszone wydalanie moczu aż do całkowitego zatrzymania. Objawy te gwałtownie się nasilają. Dochodzi do poważnych zakłóceń w gospodarce wodnej, gospodarce solami mineralnymi i bilansie kwasowo-zasadowym, a w ich wyniku do zniszczenia komórek, paraliżu i skurczów mięśni. Jeśli ratunek nie nadejdzie w porę, następuje utrata przytomności i śmierć spowodowana mocznicą.

Najczęstsze przyczyny

Najczęstszymi przyczynami ostrej niewydolności nerek są:

- wstrząs i zapaść krążeniowa, następujące w przypadku dużego upływu krwi, poparzeń i reakcji alergicznych,
- śpiączka cukrzycowa u diabetyków, gdy poziom cukru znacznie się podnosi i nie da się go w żaden sposób opanować,
- zatrucia substancjami uszkadzającymi nerki, np. rtęcią i innymi metalami ciężkimi (wchłanianymi ze środowiska), grzybami, herbicydami i środkami odmrażającymi, czterochlorkiem węgla, lekarstwami (często antybiotykami),
- ostre kłębuszkowe zapalenie nerek (patrz s. 78 i nast.), w którym niewydolność nerek jest możliwą komplikacją,
- nadmierna reakcja nerek, gdy do zdjęcia rtg zastosowano nietolerowany przez organizm środek cieniujący,
- niewydolność nerek jako powikłanie w transfuzjach i położnictwie.

Natychmiastowe intensywne leczenie w szpitalu

Względnie wysoka śmiertelność

Ostra niewydolność nerek nie może być leczona ambulatoryjnie. Wymaga natychmiastowej intensywnej terapii szpitalnej. Obok działań likwidujących przyczyny konieczna jest dializa, by nie dopuścić do śmiertelnego zatrucia (mocznicy). Nie zawsze jednak pacjenta można uratować, śmiertelność wciąż jest dosyć wysoka. Niekiedy normalną czynność nerek udaje się przynajmniej częściowo przywrócić, ale może to trwać nawet rok.

Chroniczna niewydolność nerek

Często dolegliwości pojawiają się dopiero w zaawansowanym stadium

Możliwe sygnały ostrzegawcze

Chroniczna niewydolność nerek rozwija się powoli i przez długi czas powoduje nieswoiste łagodne objawy, niezauważane przez wielu chorych. Wyraźne dolegliwości często pojawiają się dopiero w stadium zaawansowanym, ale wówczas uszkodzenia nerek są raczej nieodwracalne, a jedynymi metodami leczenia pozostają dializa i przeszczep. Z tego powodu wymienione tu sygnały ostrzegawcze muszą zawsze skłaniać do natychmiastowego poddania się badaniu specjalistycznemu:

- wzrost ogólnego osłabienia i nadzwyczaj szybkie męczenie się, trwale obniżające sprawność fizyczną,
- brak apetytu, mdłości, skłonność do wymiotów, czasem biegunka, spadek wagi i duże pragnienie.

Dalsze symptomy

W stadiach zaawansowanych dochodzą zwykle następujące symptomy:

- skóra uderzająco blada, sucha i łuszcząca się, często swędząca, co częściowo spowodowane jest występującą zazwyczaj niedokrwistością,
- bóle głowy, w wielu wypadkach gwałtowne,
- przyspieszone oddychanie, czasem połączone z dusznościami,
- trudne do obniżenia nadciśnienie tętnicze, któremu towarzyszą dolegliwości wynikłe z postępującego osłabienia serca – zakłócenie rytmu serca i przyspieszenie tętna,

- niekiedy zaburzenia widzenia – skutek spowodowanych chorobą zmian dna oka,
- skłonność do zaparć, ale też – przy znacznym zatrzymaniu moczu – krwawe biegunki ze skurczowymi bólami brzucha,
- w ciężkich przypadkach zaburzenia świadomości i objawy paraliżu mięśni.

Niezawodna diagnoza tylko po badaniach

Chroniczną niewydolność nerek można rozpoznać niezawodnie tylko przez odpowiednie badania, m.in. laboratoryjną analizę moczu i krwi.

5 stadiów chronicznej niewydolności nerek

Zwykle rozróżnia się następujące stadia chronicznej niewydolności nerek:

I stadium utajone, czynność nerek zadowalająca, ale choroba stopniowo postępuje,
IIa stadium pełnej kompensacji z nieznacznie ograniczoną czynnością nerek,
IIb stadium kompensowanego zatrzymania (retencji), niewydolność nerek umiarkowana, w surowicy krwi uwidaczniają się pierwsze oznaki choroby (m.in. laboratoryjnie stwierdzany wzrost stężenia mocznika),
III stadium niekompensowanego zatrzymania, z postępującą niewydolnością nerek i wyraźnymi oznakami w surowicy krwi (stwierdzanymi w badaniu laboratoryjnym),
IV ostatnie stadium, z krańcową niewydolnością nerek i mocznicą; bez niezwłocznej dializy następuje zgon w śpiączce.

Najczęstsze przyczyny

Do najczęstszych przyczyn chronicznej niewydolności nerek należą przewlekłe zapalenia nerek i miedniczek nerkowych, zmiany miażdżycowe w naczyniach krwionośnych nerek (często sprzyja im cukrzyca), uszkodzenie nerek w efekcie dny, a także coraz powszechniejsze nadużywanie środków przeciwbólowych i innych leków; ponadto niektóre rzadkie choroby, o których nie będziemy tu wspominać.

W chronicznej niewydolności nerek rokowania są na ogół niekorzystne. Raczej nie uda się przywrócić

Celem leczenia jest zatrzymanie choroby jak najdłużej we wczesnych stadiach

Medycyna naturalna potrafi na długi czas zatrzymać postęp choroby

pacjentowi zdrowia. Celem leczenia jest przede wszystkim zatrzymanie choroby możliwie najdłużej we wczesnym lub średnim stadium (do IIb), by zapobiec dekompensacji i krańcowej niewydolności z mocznicą. Medycyna naturalna dysponuje tu licznymi środkami, szczególnie homeopatycznymi. Do tego dochodzi jeszcze indywidualnie dopasowana dieta oraz właściwe leczenie pojawiających się z czasem chorób towarzyszących (np. nadciśnienie tętnicze, niedokrwistość).

Kompleksowa terapia może na długo powstrzymać postęp niewydolności, a nawet nieco usprawnić funkcjonowanie nerek. Tych różnorakich działań leczniczych nie da się tu szerzej omówić, gdyż zależą od indywidualnego obrazu choroby i powinny przebiegać pod stałym nadzorem specjalisty. Czasem konieczne są dłuższe okresy intensywnego leczenia w szpitalu, a po nich kuracje w sanatorium, by nie dopuścić do ostatniego stadium – krańcowej niewydolności nerek. Gdy do tego jednak dojdzie, terapia polega głównie na dializowaniu pacjenta, o czym będzie mowa dalej.

Ostatnie stadium – krańcowa niewydolność nerek

Stan stwarzający zagrożenie dla życia

W ostatnim stadium ostrej i chronicznej niewydolności nerek dochodzi do niewydolności krańcowej. Ten stan zagraża życiu pacjenta i mimo intensywnego leczenia dość często kończy się zgonem.

Typowe sygnały ostrzegawcze

Symptomy krańcowej niewydolności nerek (mocznicy) są różnorodne ze względu na ważną rolę, jaką sprawne nerki odgrywają w całym organizmie. Typowe sygnały ostrzegawcze to m.in.:

- na początku: rozdrażnienie, zakłócenia koncentracji, bóle głowy i zaburzenia świadomości, z towarzyszącymi im nieraz stanami otępienia,
- w dalszym przebiegu: oddech bardzo spowolniony i głęboki (przy czym istnieje groźba dostania się cieczy do płuc), nadciśnienie tętnicze, nudności, wymioty,

skurcze mięśni, porażenia wiotkie, szarobrązowa barwa skóry; zapach wydychanego powietrza i skóry przypominający woń amoniaku i moczu,
- na końcu: śpiączka mocznicowa z całkowitą utratą przytomności; zgon.

Natychmiastowa dializa

Jedynym ratunkiem dla chorego w krańcowej niewydolności nerek jest natychmiastowa dializa w szpitalu.

Ostatnia deska ratunku – dializa i transplantacja

Przemywanie krwi

Gdy nerki przestają funkcjonować, we krwi szybko wzrasta stężenie substancji normalnie wydalanych z moczem, nieraz wysoce trujących (mocznik, kreatynina, indol), które w przemianach biochemicznych powstają jako odpady. Wtedy zadania nieczynnych nerek musi przejąć sztuczna nerka. Zabieg wykonywany z jej udziałem nazywa się *przemywaniem krwi*, hemodializą. Jest on konieczny, jeśli wydajność chorych nerek spadnie poniżej 15%; przeprowadza się go regularnie (w razie potrzeby do końca życia) 2–3 razy na tydzień przez 8–10 godzin.

Postępowanie w hemodializie

W hemodializie krew z tętnicy kieruje się do sztucznej nerki. Ta składa się w zasadzie z szeregu komór oddzielonych od siebie półprzepuszczalnymi cienkimi membranami. Po jednej stronie przegrody przepływa krew, a po drugiej znajduje się specjalny płyn dializacyjny. Między krwią a płynem istnieje różnica stężeń, dzięki której zbędne produkty przemiany materii i nadmiar wody przenikają przez membranę do płynu. Oczyszczona krew żyłą wraca do organizmu.

Dializa otrzewnowa

Szczególny rodzaj dializy, jakim jest *dializa otrzewnowa*, odbywa się na tej samej zasadzie, lecz rolę membrany pełni tu otrzewna. Dializy dokonuje się więc w jamie brzusznej, nie na zewnątrz organizmu, w maszynie. Do jamy brzusznej pacjenta cewnikiem wprowadza się płyn dializacyjny, a wymiana przeznaczonych do wydalenia substancji zachodzi przez dobrze ukrwioną otrzewną, która działa podobnie jak membrana w aparacie dializacyjnym.

Wady dializy

Chociaż dializa ratuje życie, ma pewne wady, z których trzeba sobie zdawać sprawę. Konieczność regularnych dializ oznacza poważne obciążenie psychiczne i zależność pacjenta, czyli istotne obniżenie komfortu życia. Nadto jest oczywiste, że sztuczna nerka nie zastąpi w pełni normalnych funkcji zdrowego organu. Dochodzi do wielu zaburzeń w gospodarce wodnej i mocznikowej, prowadzących nieraz do wyczerpania, niedokrwistości, niekiedy do uszkodzeń kości, a wyjątkowo nawet do zapalenia wątroby. Dodać jeszcze należy, że liczba stacji dializ jest ograniczona, a zabiegi bardzo drogie.

Dializa w domu

Dializa w domu, dostępna niektórym chorym, zapewnia im większą niezależność i jest tańsza, ale poza tym charakteryzują ją te same wady. Aby więc uwolnić pacjentów, zwłaszcza młodych, od ciągłych dializ, poszukuje się dla nich nerek do przeszczepu.

Przeszczep nerki to operacja rutynowa

Pierwsze transplantacje nerek przeprowadzono eksperymentalnie mniej więcej przed 40 laty. Od tego czasu rozwój techniki przeszczepów sprawił, że w specjalistycznych klinikach z doświadczonym zespołem taka operacja jest już rutynowa. Problem stanowi nadal reakcja odrzucania przeszczepu; przeciwdziałanie jej wymaga obciążającej organizm terapii lekowej. Utrudnione jest samo poszukiwanie organu do transplantacji o właściwościach odpowiadających choremu. Czasem żyjący krewni pacjenta oddają mu swoją nerkę (można przecież żyć z jedną), zazwyczaj jednak przeszczepia się organy zmarłych dawców, a wciąż niewielu ludzi gotowych jest zgodzić się na pobranie od nich narządów po śmierci.

Technika transplantacji

Z reguły nową nerkę wszczepia się w podbrzuszu i zespala z istniejącymi naczyniami krwionośnymi. Moczowód nowej nerki łączy się zaś bezpośrednio z pęcherzem, a nie z istniejącym „starym” przewodem moczowym. Czasem pozostawia się chore nerki w organizmie, niekiedy usuwa się je przed transplantacją lub w trakcie jej przeprowadzania.

Chociaż większość przeszczepionych nerek funkcjonuje dobrze dłużej niż rok, jednak pewna liczba nowych nerek przestaje działać w ciągu pierwszych 6 lat. Konieczne więc okazują się kolejne transplantacje, a pomiędzy nimi znów dializa.

Większość przeszczepionych nerek funkcjonuje dłużej niż rok

Ten wysoce niezadowalający stan rzeczy z pewnością z czasem się poprawi, ale nawet po przeszczepie pacjent nadal jest w pewnym sensie chory, musi przyjmować wiele leków hamujących, przeciwdziałających odrzuceniu przeszczepu przez układ odpornościowy, a czynność nowego narządu regularnie kontrolować. Mimo wszystko jest to mniej uciążliwe niż dożywotni przymus dializowania.

Inne schorzenia nerek

Nierzadko spotyka się wrodzone wady rozwojowe i zniekształcenia nerek bądź ich opadnięcie i nienormalną ruchliwość. Poza tym trzeba jeszcze wspomnieć o raku nerek, na który wyraźnie częściej cierpią dzieci. Wszystkie te choroby mogą być rozpoznane w sposób pewny tylko przez specjalistyczne badania i często wymagają leczenia chirurgicznego.

Wrodzone zniekształcenia nerek są częste

Zniekształcenia i wady rozwojowe

Wrodzone zniekształcenia i wady rozwojowe nerek występują częściej, niż się powszechnie sądzi. Ponieważ nie zawsze wywołują dolegliwości, pozostają nierozpoznane; czasem zauważa się je przypadkowo w badaniu przeprowadzanym z innych powodów. Do najczęstszych anomalii tego rodzaju należą:

- *Podwójne miedniczki nerkowe*, najczęściej tylko w jednej nerce. Nie musi to dawać żadnych symptomów, w nielicznych przypadkach dochodzi do częstych,

Podwójne miedniczki nerkowe

nawracających zapaleń dróg moczowych, a z powodu zalegania moczu następuje uszkodzenie nerki.

Agenezja

- *Agenezja*, czyli brak albo poważny niedorozwój jednej nerki i odpowiednio – powiększenie drugiej. Póki rozwinięta nerka jest sprawna, dolegliwości raczej nie pojawiają się.

Nerka podkowiasta, plackowata

- *Nerka podkowiasta, plackowata*, gdy jedna albo obie nerki w wyniku defektu rozwojowego przyjmują niezwykły kształt. Ewentualne objawy i komplikacje zależą od tego, czy zniekształcenie narządu wpływa na jego funkcjonowanie.

Przemieszczenie narządu, ektopia

- *Przemieszczenie narządu, ektopia*; najczęściej jest to anomalia w lokalizacji, kształcie i unaczynieniu jednej nerki, czasem obie leżą po tej samej stronie. Jeśli mimo to pracują normalnie, dolegliwości nie występują.

Torbielowatość

- *Torbielowatość,* powodująca skutki różnej doniosłości. Często nieliczne wielkie torbiele znajdują się tylko w jednej nerce i po jej usunięciu w wieku niemowlęcym nie stwierdza się nowych dolegliwości. U niektórych dzieci spotyka się w nerkach kilka małych torbieli, które początkowo nie dają żadnych symptomów, ale gdy pacjent dorośnie, powiększają się i niszczą narząd. W przypadkach szczególnie ciężkich liczne małe torbiele stwierdza się już u noworodków i dzieci te umierają przedwcześnie na niewydolność nerek.

Czy zniekształcenia i wady rozwojowe nerek trzeba leczyć, zawsze zależy od objawów i spodziewanych komplikacji. Bezobjawowe i nieskomplikowane przypadki najczęściej nie wymagają terapii, jednak jeśli tak, wówczas możliwa jest tylko korekta chirurgiczna.

Nerka opadająca i ruchoma

Nienormalna zmiana położenia

Nerka opadająca i ruchoma to nienormalna, nieprawidłowa zmiana lokalizacji nerek (często tylko prawej), które przesuwają się w dół. Choroba dotyka głównie młodych szczupłych kobiet o smukłej budowie ciała. Przyczynę upatruje się w słabości tkanki łącznej otaczającej nerki, uwarunkowanej konstytucją organizmu i dodatkowo pogłębionej schudnięciem, brakiem ruchu lub ciążą. Rzadko pewną rolę mogą odegrać urazy fizyczne. Nieraz w dół opadają również inne organy brzuszne i podbrzuszne.

Zdarza się głównie u młodych kobiet

Przyczyny

Symptomatyczny dla nerki opadającej i ruchomej jest ból w krzyżu, przeważnie nasilony w pozycji stojącej, w leżącej mniejszy czy nawet zanikający. Dochodzą do tego nieokreślone dolegliwości brzuszne czy nawet gwałtowne bóle i kolka, promieniujące na pęcherz moczowy, rzadziej nudności, brak łaknienia, skłonność do wymiotów i przewlekła męczliwość.

Bóle krzyża w pozycji stojącej

Komplikacje występują czasem w postaci zalegania moczu aż do nerek, gdy w wyniku nieprawidłowego ułożenia moczowody ulegają zgięciu lub przygnieceniu, co rozpoznaje się po bólu (często kolce) w miedniczce nerkowej, częściowo też po obecności krwi w moczu; nadto wzrasta niebezpieczeństwo infekcji dróg moczowych. Zalegający mocz może uszkodzić nerkę.

Komplikacja: zaleganie moczu sięgające nerek

Leczenie uzależnione jest od przypadku. Czasem wystarczą działania zachowawcze, a głównie:

Leczenie

- pełnowartościowa dieta, koniecznie dostarczająca przeważnie szczupłym i pozbawionym apetytu pacjentom dostatecznej liczby kalorii,
- unikanie ciężkiego wysiłku fizycznego, jazdy na motocyklu, na koniu, innych sportów związanych ze wstrząsaniem ciała, a zarazem odpowiednio dużo ruchu wzmacniającego mięśnie; na początku zaleca się raczej gimnastykę leczniczą pod fachowym dozorem, uzupełnianą stopniowo coraz bardziej intensywnym, regularnym, polepszającym kondycję rekreacyjnym uprawianiem sportu na świeżym powietrzu,
- bandaże i pasy brzuszne zgodne ze wskazówkami specjalisty, kupowane w specjalistycznych sklepach, które dają nerkom lepsze oparcie z zewnątrz, ale jako środek pasywny nie zastąpią ćwiczeń fizycznych,

- można powoli wzmacniać tkankę łączną, przyjmując w ramach kompleksowej kuracji zapisane przez lekarza leki zawierające kwas krzemowy (Silicea); w razie trudności w oddawaniu moczu terapeuta zaordynuje środki moczopędne, a w razie bólów i kolki – rozkurczające i przeciwbólowe.

W ostateczności: umocowanie nerki

Gdy te działania zachowawcze nie wystarczą, pozostaje tylko chirurgiczne umocowanie nerki, które jednak niezbyt często okazuje się skuteczne. Narząd umieszcza się wtedy ponownie we właściwej pozycji i przyszywa, a ostatnio też przytwierdza specjalnym klejem.

Rzadka choroba: rak nerek

Dzieci chorują częściej

Rak nerek u dorosłych zdarza się dość rzadko, natomiast częściej cierpią na tę chorobę dzieci; stoi ona na drugim miejscu wśród wszystkich nowotworów w tej grupie wieku. Przyczyny tego zjawiska do dzisiaj nie są znane.

Przyczyny z punktu widzenia medycyny

Z punktu widzenia medycyny naturalnej rak nerek wynika z dwóch podstawowych przyczyn wszystkich chorób nowotworowych: zakłóceń w komórkowej przemianie materii, gdy następuje przejście z normalnego tlenowego oddychania komórkowego na metabolizm fermentacyjny, oraz osłabienia własnych sił obronnych organizmu. Ten pogląd przez medycynę konwencjonalną nie został jeszcze zaakceptowany. Prowadzi to do rozbieżności w metodach leczenia.

Sygnały ostrzegawcze raka nerek

Rak powstaje z reguły wewnątrz tkanki nerkowej. Stąd rozprzestrzenia się w kierunku wnęki nerkowej, a więc tam, gdzie wchodzą i skąd wychodzą naczynia krwionośne, nerwy oraz odchodzi moczowód.

Często złośliwy nowotwór nerek nie daje przez długi czas żadnych dolegliwości. Symptomy pojawiają się dopiero, gdy guz dotrze do miedniczki nerkowej. Zwykle pierwszym sygnałem ostrzegawczym jest dostrzegalne gołym okiem pojawianie się krwi w moczu. Takie krwawienia zawsze muszą być traktowane jako ewentualne objawy raka, zanim nie zostaną diagnostycznie wyjaśnione.

Długi okres bezobjawowy

Pierwszy sygnał ostrzegawczy: bezbolesne krwawienia przy oddawaniu moczu

Dalsze symptomy zaawansowanego raka to ucisk i bóle w okolicach nerek, czasem także kolka. Nieraz da się wymacać guz od zewnątrz jako nierówność, garbek. Dokładne rozpoznanie umożliwi tylko badanie rentgenowskie.

Dalsze symptomy

Rak nerek często wnika szybko do żył. Wtedy krew przenosi komórki rakowe do innych organów, powodując przerzuty. Głównie dotykają one płuc, wątroby, mózgu i kości.

Rak szybko wnika do żył

Terapia kompleksowa

Rokowania w przypadku złośliwego nowotworu nerek są zasadniczo pomyślne, jeśli zostanie rozpoznany we wczesnym stadium, a chory organ natychmiast operacyjnie usunięty. Odsetek wyzdrowień sięga tu nawet 80%.

Dobre rokowania, gdy wczesne rozpoznanie

Ponieważ jednak przez długi czas nie ma żadnych objawów, chorobę diagnozuje się zwykle w stadium zaawansowanym, gdy mogą już istnieć przerzuty. 30% przypadków nie nadaje się wówczas do operacji. Konwencjonalnej medycynie pozostaje tylko mało skuteczne naświetlanie i hamujące wzrost komórek cytostatyki. Z powodu późnego rozpoznania tylko 25–45% pacjentów przeżywa pięcioletnią terapię (po tym czasie uważa się, że nowotwór został wyleczony).

Terapia według medycyny konwencjonalnej

Można zwiększyć prawdopodobieństwo przeżycia, nawet przy zaawansowanym raku nerek, przeprowadzając całościową terapię według zasad medycyny naturalnej. Zostały one już opisane w rozdziale o raku pęcherza (patrz s. 41 i nast.). Medycyna naturalna stara się przede wszystkim przywrócić normalny metabolizm

Większe szanse przeżycia dzięki całościowej terapii raka

komórkowy i wzmocnić własne siły obronne organizmu. Dysponuje różnymi metodami leczenia, w szczególności specjalną dietą dla chorych na nowotwór, terapią grasiczą, enzymatyczną i z użyciem jemioły, w uzupełnieniu też psychoterapią oddziałującą na psychiczne przyczyny nowotworów.

Medycyna naturalna podnosi jakość życia

Jednak nawet kompleksowe leczenie raka nie gwarantuje wyzdrowienia. Często organizm nie jest już w stanie skutecznie bronić się przed chorobą. Ale wtedy medycyna naturalna nierzadko przynajmniej poprawia jakość ostatniego etapu życia. W każdym razie stosowanie terapii biologicznej daje większe szanse na całkowite wyzdrowienie z raka niż leczenie wyłącznie sposobami medycyny akademickiej.

Indeks

O

P

R

S

Ś